P9-BXW-641

MES TROIS ZÈBRES

Guitry, de Gaulle et Casanova

DU MÊME AUTEUR

Aux Éditions Grasset

1 + 1 + 1…, *essai.*
LE ROMAN DES JARDIN, *roman* ; Livre de Poche n° 30772.
CHAQUE FEMME EST UN ROMAN, *roman* ; Livre de Poche n° 31617.
QUINZE ANS APRÈS, *roman* ; Livre de Poche n° 31975.
DES GENS TRÈS BIEN, *roman* ; Livre de Poche n° 32456.
JOYEUX NOËL, *roman.*

Aux Éditions Gallimard

BILLE EN TÊTE, *roman* (prix du Premier Roman 1986) ; Folio n° 1919.
LE ZÈBRE, *roman* (prix Femina 1988) ; Folio n° 2185.
LE PETIT SAUVAGE, *roman*, Folio n° 2652.
L'ÎLE DES GAUCHERS, *roman* ; Folio n° 2912.
LE ZUBIAL ; Folio n° 3206.
AUTOBIOGRAPHIE D'UN AMOUR, *roman* ; Folio n° 3523.
MADEMOISELLE LIBERTÉ, *roman* ; Folio n° 3886.
LES COLORIÉS, *roman* ; Folio n° 4214.

Aux Éditions Flammarion

FANFAN, *roman* ; Folio n° 2373.

ALEXANDRE JARDIN

MES TROIS ZÈBRES

Guitry, de Gaulle et Casanova

BERNARD GRASSET
PARIS

Photo de bande : © JF Paga/Grasset

ISBN : 978-2-246-80455-0

A Liberté, ma fille.

« La vie est trop courte pour être petite. »

Benjamin Disraeli, dit « Dizzy »

Leur manière d'être

J'ai toujours souffert d'accepter une existence normale. Un sort exagérément français et idéal est envisageable, je le sais ; il reste mon seul goût de vivre. Toutes les figures de la résignation me hérissent. Je n'ai jamais toléré le déclin de la passion, cette défaite qui nous éloigne des plus purs instants. Capituler devant la raison devrait nous faire rougir jusqu'aux racines. Je continue à juger comme un scandale que mon quotidien ne soit pas un conte et que des violons ne retentissent pas dès que ma femme descend sur un quai de gare. Chaque fois que l'actualité n'est pas magique ou parée de rêves, j'asphyxie, comme si l'idée que je me fais de la France en était insultée. Et je m'insurge dès que l'idéal s'enfuit de nos cœurs ou qu'un étudiant sommé de *faire des choix* se permet, sans périr de honte, de déserter ses espérances au lieu de hisser le drapeau de sa folie. Chacun de mes livres est une tentative nouvelle de remettre le monde à l'endroit et de rendre visible ma joie d'être né.

A quarante-huit ans, je reste persuadé qu'il n'y a qu'un malheur, celui d'être cynique. Je refuse d'être libéré de tout absolu, d'exceller dans la raillerie. Ce qu'il y a de plus criminel au monde, c'est l'absence de naïveté. Elle réduit l'essentiel à des minuties et abolit nos élans. Je tiens en haute estime les jeunes filles déjantées qui exigent leur lot de spasmes romantiques et ne s'accordent qu'environnées d'éclairs. Ces insoumises ont raison de se rebeller contre les amours bâclées et de vouloir tirer des traites longues sur la passion, cette providence courte. Avant de mourir, nous avons le droit de snifer notre part de sublime ! Bien que blessé par quelques déroutes sévères, je n'ai toujours pas le talent de rogner mes rêves, de ricaner de l'heureuse candeur et de m'envelopper d'amertume.

En somme, je n'ai plus l'âge d'être sage ; ni celui de temporiser ou de me caler sur des rêves de poche. Aux approches de mon vieillissement, je désire m'emparer toujours plus de la vie, qu'elle soit une partie formidable à jouer. Un jeu qui ne soit pas réduit à nos seules proportions et qui place ses participants un peu au-dessus des contingences, loin des peine-à-jouir.

De là ma manie persistante de lire des biographies, d'explorer les destinées des enchanteurs qui surent vivre comme dans les songes, sans jamais céder au confort du raisonnable. Si ces vies surdimensionnées n'avaient pas été osées, si j'avais dû me contenter de l'opium des romans et d'acheter des billets de cinéma, je serais déjà mort de chagrin.

Adolescent, je ne savais pas qui être. Glouton de presque tout, j'espérais – assez ridiculement – le fardeau d'un caractère. Dès qu'on me laissait seul, je m'habituais à penser en monarque à perruque. Je tutoyais Saint Louis, houspillais Colbert, giflais la reine Victoria. La moutonnerie générale m'effrayait. Ma famille m'avait déjà légué une idée très farcesque de la vie ; mais guère d'idée de soi qui pût m'élever. Comment catapulter mon âme dispersée vers un destin concentré ? En quête de professeurs de soi, je me goinfrais donc de biographies. En lisant partout, dans les forêts bien percées comme dans les bars enfumés ; et en me fichant bien des événements historiques qui semblaient passionner les biographes. Je n'ai jamais eu un cerveau d'archiviste ou un museau d'enquêteur. Renifler des faits périmés m'ennuie ; même lorsqu'ils sont chargés de rayonnement. La fistule du Roi-Soleil ou les varices de Cléopâtre ne m'intéressaient pas non plus. Seule la manière d'être des stars de ma bibliothèque excitait ma curiosité. Je n'avalais ces volumes avec ardeur que pour résoudre l'équation qui me tracassait : quelle sorte d'être humain devais-je devenir pour exister avec feu ?

J'avais si peur d'être né pour rien, de vivre au point mort dans un pays rapetissé, sans fièvre ni extravagances ; et fâché avec les princes de l'excès. Je craignais tant que l'ampleur de la vie ne m'échappe !

Mon père biologique, personnage fabuleux mort jeune, avait su exister, lui, sans flânerie. En enclenchant toutes les vitesses, et en se gardant bien d'obéir à ses trouilles abyssales. Très vite, il s'était délivré du piège de l'approbation des autres et des prudences absurdes qui amoindrissent notre espèce. Ma mère – une héroïne au charme phosphorescent – sortait également du sillon, avec un talent pour le désordre qui éloignait d'elle les timorés. A la maison, s'ennuyer ne passait pas pour un honnête passe-temps. Il fallait que l'existence fût un perpétuel amour. Personne n'avait la vulgarité de mourir à petit feu avant le poteau d'arrivée. On se donnait la peine d'inventer son sort et, parfois, de se bricoler un destin romanesque, fût-il criminel dans ses conséquences. Mais moi, saurais-je VIVRE ?

A quelle idée de moi escarpée devais-je m'identifier pour espérer rejoindre, plus tard, les affranchis de l'Histoire de France ou les héros de bandes dessinées ?

Je voulais tant être autre chose que ce que j'étais, m'évader d'un moi exigu, pusillanime.

Il me fallait me fabriquer un *je* amélioré qui soigne mon chagrin de porter un nom sali à Vichy en 1942.

Alors je lisais fébrilement, la tête en feu. Aucun roman, je le répète. Exclusivement des biographies, afin de m'assurer que la manière d'être des héros qui se démenaient sur les pages imprimées était effectivement vivable. Je scrutais entre les lignes l'idée de soi perfectionnée qui propulsait tous les rebelles hors rang qui m'électrisaient : une sarabande de séditieux qui s'étaient rebiffés contre les routines intellectuelles, les hiérarchies solennelles et les doctrines qui encasernent la pensée. Avec une passion particulière pour les caractères assez vivants pour confondre leur vérité et la réalité sans périr d'angoisse. J'aime que le destin invente des zèbres au-delà de mon imagination, si remplis d'eux-mêmes qu'ils n'ont pas besoin de se régler sur le voltage de leur époque. Les passionnés de l'infime, les explorateurs du ténu usant leur existence sans baraka dans des salles d'attente ne me nourrissaient pas assez. Exister en retrait me dépitait alors que l'inconduite vivifiante de ces anticonformistes me soulageait, recréait mon âme et la plaçait pour ainsi dire sur une rampe de lancement.

C'est ainsi que peu à peu je suis tombé amoureux de trois hommes qui ont enchanté l'idée que je me fais de la France. Trois irréguliers qui ont commencé à rallumer la lumière dans ma vie et l'ont singulièrement élargie. D'immenses artistes du savoir-être, des praticiens de l'insolence qui, aujourd'hui encore, font flamber mon imagination en se disputant mes faveurs. De leur mort, je ne me suis jamais remis. Peu à peu, ces marginaux ont modelé l'étrange mythe personnel qui me permet de renaître sans cesse avec joie. Rêveurs actifs, ils ont su quoi faire du réel : Sacha Guitry en joue, de Gaulle le défie, Casanova en jouit libéralement. *Jouer, défier, jouir...* Trois verbes qui me poignent l'âme, trois fringales qui ne cessent de m'inspirer, sans que mon entourage en ait été trop averti ; à l'exception de mes fils et de ma femme à qui j'ai longtemps caché la profondeur du chambardement que ce trio improbable a suscité en moi.

D'outre-tombe, ces réfractaires – pour qui j'éprouve des sentiments quasi filiaux – m'ont aidé à soigner ma difficulté d'être, à ne plus différer mes désirs. Leurs vies outrageusement libres m'animent. Ils ne furent rien par fatigue, tout par choix. Je leur dois le meilleur de mon identité acquise, lentement façonnée dans une quasi-clandestinité car j'ai longtemps redouté de trop les écouter. Il est vrai que ce qu'ils ont osé devenir met en joue ceux qui, comme moi, se dérobent à eux-mêmes. Les trois visent en nous l'anguille, le lâche, le chapon, le diaphane, l'animal domestiqué. Prononcer leur nom me jette à chaque fois dans cette sorte de transe qui s'apparente au coup de foudre. Tous les jours, je les consulte, ris aux éclats de leurs saillies et trouve dans leur liberté à peine crédible un motif d'enthousiasme. Ces magiciens ensemencent mon avenir qui, si je les écoute, ne sera jamais un remake du passé ! Car ils ne sont que frénésie de se créer soi-même avec art. Ils en ont le pli, l'ahurissante santé.

D'autres hérétiques issus des quatre coins de la planète dilatèrent mes rêves et me procurèrent l'extrême jouissance d'admirer : le très nécessaire Oscar Wilde, le grand givré Lawrence d'Arabie, le bouleversant René Lévesque, mon bouillant ami Churchill à qui je rends souvent visite (sa statue obèse, sans cigare, m'attend toujours dans le bas des Champs-Elysées), le requinquant Jacques Lacan de qui je reste dingue, l'aristocrate Mandela qui m'arrache souvent à ma pleutrerie, l'impensable Talleyrand poudré d'esprit, initialement mitré puis déprêtrisé, désépiscopisé et enfin marié, l'irradiant Bonaparte – ce Talleyrand botté – qui m'inculqua la passion des risques inconsidérés, la très improbable Margaret Thatcher (capable d'érotiser sa volonté), l'ensorceleur Benjamin Disraeli qui repoussa toujours les murs du réel (Premier ministre resplendissant de génie et de fantaisie de la reine Victoria, également faiseur de romans) et tant d'autres chasseurs d'alligators (réels ou imaginaires) et grands liquidateurs d'idées reçues. Sans oublier l'empereur des funambules, l'un de mes gourous, le rayonnant Philippe Petit qui, sur son fil d'acier tendu (notamment à New York, fixé entre les Twin Towers non encore réduites en poudre), eut la témérité de vivre dans l'exaltation de l'immédiat, en regardant la mort en face sans jamais s'écarter de sa ligne de mire. Si tous ne furent pas artistes, tous le furent dans leur manière d'exister.

Mais c'est bien la façon d'être enchanteresse et follement française de Sacha, de l'impraticable Charles et du délicieux Giacomo (Français de fibre) qui m'aura le plus questionné, chamboulé et procuré l'espoir de ne pas rater mon unique passage sur terre. En me décalcifiant pour toujours. Trois immenses théâtres. Trois rêveurs éveillés dont l'unique métier est le plaisir, fût-il difficile : celui d'être exagérément français, libre jusqu'au tournis ou magicien du quotidien. Je suis tressé de ces souffleurs-là et demeure leur obligé. Grâce à leur précédent euphorisant, il y a quelque chose dans mon visage qui n'appartiendra jamais à l'obscurité. Je leur dois de n'être pas atteignable par le désenchantement. Ils m'ont rempli de moi, déparalysé et débouché la vue !

Même si ces trois types extraordinaires – j'allais écrire disraéliens – m'auraient, si je m'étais présenté à eux, évidemment traité avec une olympienne indifférence ou, au mieux, une pointe d'affectueux mépris. Sauf peut-être le fraternel Casanova avec qui j'aurais, qui sait, peut-être, improvisé une belle réciprocité de sentiments.

Mais quel point commun – autre que leur exceptionnelle capacité d'allumer des rêves – trouver entre le Connétable de France, sévère à lui-même, logique, passionné à froid, pâle et sobre de paroles, causant comme une version latine, et le très volubile Sacha Guitry habillé de soie, bariolé de fantaisie et prodigue en mystifications ? L'un vit dans l'intimité du grand Louvois, l'autre dans celle de Feydeau. Ou entre le souple libertin, solaire athlète du bonheur, et le majestueux Charles doté d'une ténébreuse capacité à dire non et engoncé dans de vieux usages ? Cette statue du Commandeur, savamment contrôlée, ne se serait d'ailleurs jamais jointe aux bamboches de Casanova qui ravagèrent les mœurs de l'Europe ni à ses duperies cocasses !

Chacun à leur façon, ces *maîtres à oser* incarnent au plus haut degré des attitudes françaises qui me poignent : empocher son plaisir insouciamment, résister avec superbe et prendre les choses graves avec légèreté. Mais derrière leurs religions très distinctes, il y en a une, étincelante, qui accorde véritablement nos cœurs : celle de la France, ce rêve inépuisable qui, pour moi, n'a toujours pas été démystifié. Foi totale, vive et nerveuse, ardeur rentrée qui forme le fond vrai de mon âme que, pour des raisons que vous allez découvrir, j'ai longtemps tu. Avec la crainte qu'elle me réquisitionne et me propulse un jour vers un autre sort, plus coupant, mangé par la République. Et que l'on ne m'assène pas que le gracieux Casanova naquit à Venise ; non pas *là-bas* mais *là-haut,* comme il le disait avec justesse. Quand l'heure vint de chevaucher une seconde fois sa vie en commençant à l'écrire à l'été 1789 (mais oui !), pour qu'elle ne tombe pas dans un fossé d'oubli, c'est dans la langue excitante de la liberté que Giacomo choisit de ressusciter son passé, afin de mieux en jouir. C'est dans ce langage d'affranchi qu'il voulait avoir le souvenir d'un temps deux fois vécu ; d'abord dans sa peau puis en imagination, sur papier couché. Toute son écriture est un travail de francisation de ses plaisirs révolus. Labeur d'autant plus choisi que son courrier (dont il conservait des doubles) et les notes qu'il prit tout au long de son existence ne furent que rarement rédigés en français. Sa conversion éblouissante à la langue de la Révolution trahit son amour éperdu pour la France ! Je le naturalise donc sur-le-champ.

Et puis, chez ces trois irréguliers, la vision de soi est tout.

Chez eux, tout part du dedans. Le nœud de leur destinée réside tout entier dans une idée de soi – j'allais écrire un rêve de soi – qui les hisse sans cesse vers le sommet d'eux-mêmes. Une idée motrice qui, ne servant à rien de matériel, possède d'immatérielles vertus. Elle génère dans leur corps une vitalité incompressible, transforme leur carrière en passion et fond leur personnage privé et public pour donner naissance à un être unifié, puissant.

C'est leur caractère qui a nécessité leur destin, non l'inverse. Il fut leur plus chère loi. Il faut donc juger ces explorateurs de la psyché humaine en fonction d'eux-mêmes, jamais au regard d'une éthique pour Européen moyen (valable pour moi). Les trois sont leur propre critère, leur unique jauge. Normal que le monde – qui rêve à l'économie – ait été sévère à leur endroit et qu'ils aient, chacun à leur tour, fait l'expérience des boîtes à gifles de leur siècle ou des foudres des normalisateurs.

Ces drôles de zèbres ont certes accompli des choses inouïes ; mais leur chef-d'œuvre le plus durable reste leur ahurissante manière d'être. Leurs actes les plus transgressifs, parfois hypnotiques, procèdent toujours du personnage fabuleux, à la lisière de la fiction, qu'ils ont d'abord imaginé ; car ces désobéissants, quoi qu'on dise, se sont enfantés eux-mêmes en refusant obstinément – avec raison – de se juger infimes. Auteurs inspirés, ils ont eu le talent de devenir leur personnage, sorti tout droit de leur encrier ; et d'en être absolument dupes (marque du génie). Ces indomptables ont même fini par se confondre avec cette création artistique stupéfiante que l'on appelle toujours avec émotion *Charles de Gaulle, Sacha Guitry* ou *Casanova.* Ce trio d'enchanteurs prouve que l'on peut s'engendrer soi-même au lieu de se contenter d'être né ; et qu'il n'y a qu'en s'inventant par écrit que l'on devient Français de fibre, que l'on renouvelle ce curieux pays né de livres, de songes d'écrivains.

Ce livre d'amour et de quasi-piété filiale ne sera donc pas la somme de trois biographies – au sens ordinaire et distancié du terme – ou l'addition de portraits mais bien l'histoire de mes interrogations secrètes face à leur façon d'exister et de se tenir droits. Au fond de mon cœur, j'ai beaucoup lutté contre l'exemplarité de ces trois pères, auxiliaires du mien. Je m'en excuse d'ailleurs auprès de Pascal, mais ces rivaux en paternité n'ont pu s'imposer dans mon imagination que parce qu'il disparut jeune du pavé parisien et me laissa démuni pour escalader le destin. Ces pages d'aveux sont donc celles d'une longue résistance. Ah, comme il est difficile de consentir à soi-même lorsque ce soi ne met pas en sûreté et se complique de désirs inquiétants ! Ce texte, on l'aura compris, retrace ma déséducation à leur contact, ma délivrance des lâchetés qui m'atténuaient.

Avec de tels artistes, pas question de se conformer aux usages de la biographie convenable qui veulent que l'auteur escamote son *je,* rabote ses émois et aligne faits et dates en écrivant à l'encre invisible tout ce qui paraîtra trop intime. Ici, je mettrai plus d'une livre de ma chair dans la balance. En usant d'une encre nette et en me fichant bien des dosages attendus dans un tel livre.

Que l'on me reproche d'être abêti par la ferveur, je m'en moque ! En idolâtre assumé, je vais vous conter non leurs hauts faits (d'éminents érudits, indépassables, s'en sont déjà chargés) mais comment leur être pourrait bien féconder le vôtre après avoir affecté le mien. Qu'il soit possible sur cette planète d'être *pour de vrai* l'impossible Charles de Gaulle, l'heureux Giacomo ou le folâtre Guitry est une formidable nouvelle ! En vivant à l'année dans leur intimité, jusqu'à me prendre parfois pour leur délégué permanent et le dépositaire de leur saine inconscience, j'ai compris jusqu'où on peut jouer avec le réel, le défier avec panache ou en jouir à la perfection. Si Casanova le libertaire est entré le dernier dans mon existence, il n'est pas le dernier dans mon cœur. Nanti d'un principe de vitalité qui compense en lui le manque d'autres principes, il mérite, je vous l'assure, le respect de tous ceux qui vénèrent l'insouciance.

Suis-je pour autant le vicaire de leur mémoire ? Ah non ! Ces impensables habitent trop mon présent pour que je les envisage au passé. C'est aujourd'hui que nous avons besoin de ces professeurs d'énergie, de leur art d'exagérer à la française. Ces incomparables nous tirent de notre fatigue historique et de tout ce qui conspire à rabougrir Paris ; et à liquider l'optimisme invraisemblable qui fit la France ! Charles, Giacomo et Sacha sont très exactement le contraire de l'immonde principe de précaution qui flotte dans nos cervelles apeurées. Ils restent des grenades dégoupillées. Certes, ils possédèrent leur lot de ridicules, de carences affectives et sans doute de mesquineries, mais ils eurent l'honneur de s'inventer, d'être de colossales vedettes de cinéma jouant dans des superproductions intitulées « Histoire du rétablissement français », « 1001 libertés » ou « Faisons un rêve » ! Jamais ces insoumis ne s'attardèrent sur la case « vie normale ». Ils ne peuvent pas vieillir car ils sont la jeunesse de notre culture, l'inaptitude même au racornissement. Et si j'en parle tous les jours à mes enfants – en les appelant par leur prénom pour qu'ils les croient de notre famille – c'est sans doute parce qu'ils eurent le génie d'être des aventuriers intérieurs. En un temps où, déjà, si peu d'hommes et de femmes prenaient la peine d'édifier une *statue intérieure* avant d'agir à l'extérieur.

Autocréons-nous pour échapper au déclinisme de ce début de siècle infesté de tempérance ! Soyons dupes de nos illusions disraéliennes (sans limites). Que la flamme de ces trois zèbres détruise ce qu'il y a en nous de précautionneux, de pinailleur, d'effrayé. Ayons dans leur sillage une expérience constamment romanesque de l'existence. La vie court, elle nous licenciera quelque jour. Suivons vite Charles, Sacha et Giacomo avant d'être amoindris, faussés par la vieillesse impitoyable. Laissons-les agrandir notre géographie mentale et nous entraîner vers les chemins parfumés de l'insubordination. Pour VIVRE enfin, n'ayons plus peur d'être casanovistes avec ivresse, charlophiles à pleins poumons et sachatesques sans aucun frein ! On n'a jamais que la liberté qu'on se donne.

LEUR MANIÈRE D'ÊTRE EST UN ROMAN…

JOUER

«Je veux que pendant des siècles on continue à discuter sur ce que j'ai été, ce que j'ai pensé, ce que j'ai voulu[1].»

Talleyrand

1. Phrase reprise avec conviction par Sacha Guitry lorsqu'il joua Talleyrand, ou plutôt le ressuscita, dans son film *Le Diable boiteux*…

Naissance d'une peur

J'ai longtemps craint de m'accorder les libertés désordonnées que Sacha s'octroya. Fantasque par conviction, givré par tradition, hilarant par hérédité, j'en suis fou. Mais admirer à l'extrême un animal de ce calibre crée une sorte d'obligation d'audace qui ne va pas sans efforts ni risques inconsidérés. Périls qui, tout de suite, me tentèrent.

Notre rencontre funeste eut lieu en 1982, vingt-cinq ans après sa mort.

Nonchalamment installé sur le sofa de ma grand-mère, en Suisse, je devisais avec elle à l'issue d'un souper d'une somptuosité impensable (une terrine de couleuvre grillée y fut servie). Son esprit n'avait pas précisément de supériorité mais regorgeait d'idées bizarres. Ma chère aïeule possédait ma confiance. D'une originalité très polissonne, cette lettrée avait toujours mené la vie la plus romanesque, instaurant des correspondances aussi actives qu'ubuesques avec des illuminés. Elle trouvait scandaleux de résister aux tentations qui embellissaient son existence ; ce qui avait conféré à son mariage de la durée. Tout ce qui touchait au sexe et à l'épanouissement légitime des pulsions – dont il ne s'ensuit que de la joie simple, gratuite et positive – était à ses yeux d'un puissant intérêt. Loin d'être sans beauté, elle était farouchement hostile aux excès de fidélité. Ce mot même lui semblait un péché. De quelle droit aurait-elle résisté aux instances d'hommes que la nature s'était plu à combler de charmes ?

Calée face à moi dans un fauteuil mécanique et tournant, empanachée de plumes, hiératique et sphinxesque, elle écoutait fuir les heures en tisonnant sa cheminée. La honteuse chasteté du grand âge lui pesait. Soudain, elle évoqua – à l'insu de mon oncle le plus catholique – la nécessité, à ses yeux, de se coucher en laissant entrouverte la fenêtre de sa chambre, au cas où :

« Au cas où quoi ?

— Tu comprendras, mon chéri, que si un voleur ravissant pénétrait nuitamment à mon étage, je serais malavisée de ne pas faciliter son intrusion... Ah, faire l'amour vivement avec un jeune cambrioleur à la cuisse faunesque ! Et n'en faire qu'une bouchée ! » soupira-t-elle à plus de quatre-vingts ans, transpercée de regrets.

Pleine de l'espoir de rencontrer une nuit la grâce d'Adonis posée sur les épaules d'Hercule, elle me confia avoir fait, la veille, un cauchemar atroce et récurrent qui chagrinait ses nuits depuis quelques semaines. Elle était, dans ce rêve effroyable, un rôti enfourné dans une gazinière, cuit à point, rosé, ruisselant, prêt à être dévoré et on l'oubliait au four… humide à souhait, sans la consommer. Consternée par cette négligence, elle appuya sur la télécommande de ce que l'on appelait un « magnétoscope » ; un appareil japonais qui, dans l'Europe du début des années 80, semblait d'une intense modernité.

Le film que cette jeune fille octogénaire désira, ce soir-là, me faire connaître, pour m'initier aux grâces de son auteur – qu'elle jugeait indispensable à ma déséducation –, commença aussitôt : *Le Destin fabuleux de Désirée Clary*.

Etrangement, pas de générique de début.

Je ne m'en étonnai pas trop. Je savais que l'Arquebuse – je surnommais ainsi mon adorable aïeule – raffolait de la société des zèbres et qu'elle vouait une admiration particulière aux artistes sans repères, asociaux, avec qui elle se sentait en affinité. Longue cohorte de déments, d'écrivaillons extatiques peu édités, de diseurs de poèmes cabalistiques et de philosophes déréglés (dont un poseur de bombes, grand onaniste) auprès de qui elle s'imaginait en communauté de pensée. Si elle les avait croisés, elle se serait prosternée devant eux en révérences multipliées. Sa coutume était de vénérer des dingos. Il fallait donc qu'une anomalie, même légère, marquât ce long-métrage.

Ma grand-mère accélère alors l'image et me montre le dernier quart d'heure. Un énergumène dont j'ignore tout déboule sur l'écran et illumine l'image en noir et blanc. Une émulsion de joie. C'est un éblouissement. Je ne sais pas encore que ce type – qui de toute évidence appartient à la classe supérieure des comédiens que produisit l'Europe, les Charles Laughton, les Michel Simon – va attenter à ma tranquillité. Il s'agit, bien entendu, de Sacha Guitry, acteur principal et réalisateur du film, tempête verbale du film ! Le dialogue est également de lui, de sa verve flexible et adroite. Guitry – que je n'appelle pas encore Sacha, l'intimité viendra plus tard – m'apparaît aussitôt comme un être aussi massif que fluide, aussi véloce que flegmatique. Un remuement chronique. Dans le trompe-l'œil de ses gestes, il parle autant sinon plus qu'avec ses mots. Son jeu est un pari permanent. Dans toutes les scènes, Guitry rafle la mise et possède le rare talent de se moquer de ses interlocuteurs tout en les faisant rire (les acteurs rient pour de vrai). On ne le regarde pas ; on participe à sa jubilation de nous donner du plaisir. Tout ce qu'il est exulte, refuse les toises sérieuses et réveille la poésie de la vie. Rien à voir avec la petite marchandise qui peuple les génériques des films commerciaux des années 30.

Dans l'instant, son œil fébrile et dilaté m'est familier. Sa façon d'être gaiement caustique, en prenant un exquis laisser-aller, une fantaisie inimitable, me captive. Son esprit tient en respect la caméra, ses répliques ripostent dru et, soudain, vous prennent au lasso d'intonations souples, caressantes. Plein cadre, Sacha paraît faire des confidences, causer tout exprès pour chaque spectateur et, brusquement, déclame à pleine gorge comme si une foule se tenait juste derrière ses interlocuteurs. Sa pensée se ramasse en maximes, claque en mots d'esprit. Sans forçage.

Tout de suite, je me dis que je verrais bien ce Sacha Guitry folâtrer parmi le zoo humain qui peuple le salon des Jardin, au milieu des sensuels qui eurent part aux faveurs de ma grand-mère (je pense notamment à J.-C., le plus grand polisson de France), d'un agité surcultivé qui vécut maritalement avec une guenon lubrique ou de ceux qui, fort habilement, cachèrent leur passé terroriste (communiste ou au service de la SS) dans de tonitruants éclats de rire.

Sans me fournir d'explication, l'Arquebuse remet alors le début du film (sans générique) et en reprend le cours. L'intrigue du récit se déploie, file même – je n'en conserve qu'un souvenir vague, mal couturé, où il était question de Napoléon amoureux – et soudain, à mi-film, ma grand-mère me fixe du coin de l'œil, prête à savourer ma sidération.

Quelque chose de très improbable se passe alors sur l'écran. Guitry opère soudain une brèche dans son histoire. Il interrompt l'action et, sans façon, exhibe toute la mystification du cinéma. Il s'agit à cet instant du récit de montrer que ses personnages ont changé, d'aspect physique mais aussi psychologiquement. Sacha se place soudain devant la caméra (on ne l'avait pas encore vu depuis le début) et de sa voix vibrante, d'un beau creux grave, s'adresse à ses interprètes en les appelant par leur nom véritable, comme si son film était en mode pause : « Mademoiselle Gaby Morlay, accepteriez-vous de reprendre le rôle de Désirée, tenu jusqu'à présent par mademoiselle Geneviève Guitry ? – Avec joie », répond Gaby Morlay. « Et vous, mon cher Barrault, qui jouiez Bonaparte, accepteriez-vous de me laisser interpréter celui de Napoléon ? – Avec plaisir », répond Jean-Louis Barrault. Le tour est joué de manière guitryque, l'action peut reprendre avec un nouveau casting. Le générique est alors envoyé au quasi-milieu de ce long-métrage !

Cette pirouette fluide me tétanise : elle conteste toutes les habitudes cinématographiques, affirme que la vie est réellement un théâtre et que la narration domine les acteurs.

Dans le monde habité par Sacha, tout peut se découdre, se détricoter, se desceller ; à condition de dynamiter l'esprit de sérieux qui nous empaille ! Mille carcans éclatent alors en moi. Ebahi, je me dis : TOUT EST DONC POSSIBLE. Tout à coup, j'ai la fièvre. Bien sûr Cocteau, mon père, Andy Warhol, Cézanne et tant d'autres m'ont déjà sérieusement dérangé l'esprit mais Sacha y met la toute-puissance de la drôlerie. Hypnotisé, je découvre à seize ans que les formes les plus audacieuses de jeu peuvent être un recours contre les contraintes du réel. Grâce à ce liquidateur de conventions, jouer sans frein m'apparaît soudain comme LA SOLUTION à tout ce qui, déjà, m'asphyxie ! Les règles les plus enkystées peuvent être craquées *sur un air de joie.*

Sur le canapé de l'Arquebuse, je reste donc de marbre, percuté par cette révélation à la fois simple et considérable. Tout de suite, je subodore que c'est par lui, ce rebelle drolatique, que je souhaite être déséduqué. Ce que d'aucuns auraient pu prendre pour une pure fantaisie, une *sachade* comme disaient certains critiques de l'époque, m'a changé de corps et de dimension, m'a catapulté loin de mon train-train, de cette petite comédie qui compose alors mon sort de lycéen. Encore confiné dans le giron des miens, je prends conscience qu'il existe ailleurs, sur la scène sociale, des êtres plus libres encore que ma famille baroque, des réfractaires capables de braver les règles implicites qui verrouillent (ou tiennent ?) le monde ; et cela d'autant plus efficacement qu'ils ont l'air d'amuseurs inoffensifs. Des oiseaux plus forts que les Jardin et leurs complices !

« Ce rebelle s'appelle Sacha, un diminutif d'Alexandre, me murmure l'Arquebuse avec tendresse. Un autre Alexandre... Comme nous, Sacha vote contre le réel. Les règles l'ennuient. Cet homme mérite notre affection...

— Tu l'as connu ?

— Fugacement, un soir de 1933... un rêve parfait. L'été finissait sous les tilleuls. J'étais très amie avec Yvonne.

— Qui ?

— Yvonne Printemps, sa deuxième femme... déjà passée de saison. Aucune femme ne pouvait résister à Sacha, aucune ne pouvait se fixer à ses côtés, subir sa mise en scène au quotidien. Sauf, peut-être, la dernière...

— Est-il mort ?

— Sacha ne le peut pas, me répond-elle sans hésiter.

— Comment peut-on le rencontrer ? »

Sans un mot, l'Arquebuse me confie un livre étrange qui tient du délire imprimé, gaiement troussé et apparemment innocent, qui va me perturber et, par suite, déterminer ma vie : *Sacha Guitry intime*, les souvenirs épiques et très pince-sans-rire de sa secrétaire Fernande Choisel. Il s'agit là de croquis rapides, dans la manière de ceux que l'on attrape sur le vif. Cette dactylo fut installée pendant dix-neuf ans dans les coulisses du maître. On peut donc compter sur Mme Choisel pour fournir les plus utiles renseignements sur l'envers du décor.

Le soir même, je dis bonsoir à ma grand-mère en laissant la fenêtre de sa chambre entrouverte ; assez largement pour qu'elle puisse se coucher avec enivrement. Qui sait ? Si le hasard se mêle de lui offrir une bonne fortune, partira-t-elle, après leurs turpitudes mutuelles, en calèche tirée non par deux étalons mais traînée par deux tigres que son cambrioleur se chargera d'exciter, de dompter puis de tuer ? Avec l'Arquebuse, tout est envisageable. Les dénouements éclatants ont toujours été de son goût.

Puis je me plonge avec frénésie dans la prose vive de Mme Choisel. Très vite, je comprends que des cent vingt-quatre pièces de théâtre de Sacha Guitry, la plus étonnante reste… sa vie intime, une superproduction. Son véritable chef-d'œuvre. Chaque épisode de cette longue récréation m'interroge aussitôt. Pourrais-je, comme Sacha, aborder les difficultés de l'existence avec une désinvolture complète ? en cultivant matin, midi et soir la plus grande légèreté de surface, en copiant hardiment l'aspect du bonheur pour mieux le convoquer ?

Aux dires – parfois à peine crédibles – de Fernande Choisel, cet auteur-comédien s'appliqua pendant soixante-douze ans à être extraordinaire en privé, en déployant le don le plus rare : cette sorte de frivolité raffinée, supérieurement française (comme Oscar Wilde fut supérieurement anglais), qui transfigure le monde. Chaque jour guitrysé fut un mariage avec la vie, des noces réussies du plaisir libératoire et de la fantaisie. Son quotidien dépassa, et de loin, l'imagination inconcevable qu'il jeta sur scène ou dans ses trente-six films qui regorgent pourtant de trouvailles. Pour une raison toute simple que je devinai vite en tournant les pages de sa secrétaire : au théâtre comme au cinéma, ce séducteur-né dut compter avec la normalité du public, s'obliger à un minimum de plausibilité. Les êtres humains qui paient leur billet exigent ce minimum pour croire aux intrigues qu'ils sont venus applaudir ; alors qu'en privé, sur l'estrade de son domicile, plus rien ne retenait Sacha. Cet hallucinant colporteur de gaieté se jouait lui-même sans entracte, à la façon d'un garnement qui se divertit sans fin, en se moquant si totalement du ridicule qu'il ne le fut jamais ; ce que, à seize ans, je n'avais, hélas, jamais osé essayer. Même quand je m'efforçais d'imiter l'inconduite de mon père, Pascal Jardin dit le Zubial.

Au fil des courts chapitres, je restai subjugué par cette quotidienneté féerisée par ce type plus fort que mon géniteur et entièrement dédiée au *jeu supérieur* qui arrache à l'insipide des jours ordinaires ! Certes, mon papa avait su passer outre à ses propres trouilles mais il n'avait, hélas, pas eu l'art et surtout la manière – ou le temps, il mourut si jeune – de transformer en jeu l'intégralité de son existence, d'absolument *tout résoudre par le jeu*. Guitry poussa donc plus loin, changea la nature même de la vie pour en faire un art total. Comment ? En suturant théâtre et réalité, en confondant l'homme qu'il fut, l'auteur et le comédien en un seul personnage, et en les imbriquant si intimement qu'il ne devenait plus possible de les disjoindre.

Dans mon lit, ce soir-là, mille questions m'assaillirent. Combien de temps encore resterais-je prisonnier de l'étrange besoin de paraître normal ? Pourquoi demeurer désuni, divisé entre un Alexandre sage et un Alexandre aventureux ? Autant dire amputé. Né du délire d'un clan, n'avais-je pas vocation à m'unifier en me sachatisant sans délai ? à mettre fin au rôle ronronnant et sans pétillance auquel je m'astreignais au lycée ?

D'emblée, je me suis senti guitryphile, ami de cœur de ce semi-dément qui n'échappa à la camisole que parce qu'il se déguisa en rigolo qu'on applaudissait dans les théâtres ; et tout de suite j'ai éprouvé une formidable angoisse devant cet homme capable de substituer au réel le théâtre, un théâtre sans entracte qui ne se limitait pas aux planches. Aussitôt, je fus saisi par la peur panique que m'inspirait ma guitryphilie naissante. Pétoche de céder à ma fantaisie éruptive, d'aller un jour trop loin sur les traces d'Alexandre-Georges-Pierre Guitry dit Sacha ; cet *autre Alexandre* comme m'avait dit l'Arquebuse. Ma frousse m'apparut illico aussi vive que mon désir, d'un formidable étiage. Crainte également de perte d'identité, de renoncer à un moi privé pour le diluer dans un moi imaginé plus risqué ? Terreur de finir par ne plus repérer, comme lui, les frontières de la fiction et de la réalité ? Qu'allait-il m'arriver si, *pour de vrai,* je faisais de mon existence régulière un jeu constant, sachatesque ? En multipliant surprises, bouffonneries improvisées, rebondissements… N'est pas Guitry qui veut ! On ne se rue pas impunément au plaisir de tout jouer. Et puis la confusion volontaire entre le faux et le vrai n'est pas soutenable par tous les psychismes. Question de force mentale. Une autre question se posait à moi : comment contracter son sens du rythme, sa bonne humeur infrangible qui, par un jeu spectaculaire, éclipsait les mille déceptions que le hasard nous administre ? N'y avait-il pas un risque de tourner fou à s'évader ainsi tous les jours par le rire, en tenant totalement l'esprit de sérieux pour négligeable ?

Une autre interrogation, un peu folle, me tenailla cette nuit-là, et ne m'a plus quitté. Si l'Arquebuse, très persuasive dans ses élans charnels, avait « connu » l'aimable Guitry une nuit d'été en 1933, cela signifiait-il que ce rêveur pouvait être mon grand-père biologique ? Difficile d'exclure cette hypothèse aussi charmante que fragile. Mon père est bien né en mai 1934, soit neuf mois après le mois d'août 1933. Ma grand-mère avait longtemps été la maîtresse assidue de Paul Morand ; styliste génial, speedé et phobique du genre humain qui fit de mon oncle Gabriel son légataire, en qualité de filleul. L'Arquebuse avait-elle élargi ses goûts érotico-littéraires et son panel de géniteurs ? Mon père était-il donc un peu Guitry ? Ce qui expliquerait bien des choses… et me comblerait ! Même si ce désordre de filiation n'avoisinera jamais la certitude. Une chose est sûre : je ne tiens pas à descendre de Jean Jardin, tête de gondole du vichysme administratif en 1942 que je ne parviens pas à chasser de mon identité. Etait-ce pour cela que l'Arquebuse m'avait « présenté » Sacha en tête à tête, en prenant bien garde que mes oncles, très fidèles à Jean, ne soient pas à nos côtés ?

Le lendemain matin, au petit déjeuner, l'Arquebuse me fit griller des petits pains helvétiques délicieux, ronds et fendus, que nous appelions alors des « paires de fesses », pour rester dans un registre sensuel ; puis elle me demanda ce que j'avais pensé des Mémoires de cette Fernande Choisel qu'elle avait jadis trouvée finaude et charmante.

« Rien, lui ai-je répliqué.

— Rien ? reprit-elle estomaquée.

— Rien, absolument rien. »

Je commençai ce jour-là à lutter contre mon envie irrépressible d'être Sacha, dans le plus grand secret ; et à me constituer un personnage un peu raide de jeune homme dissimulé, réfrénant toujours sa fantaisie, en un mot très empêché. En une seule soirée et une nuit de lecture, Guitry était devenu le nom d'une manière d'être qui me libérait de mes frustrations et me paniquait tout autant. Prononcer son patronyme devenait une sorte de gêne ; c'était comme avouer mon rêve de l'imiter un jour dans ma vie privée ; ou reconnaître que, peut-être, le sang des Guitry coulait dans mes veines. Alors, je me répétais intérieurement ses répliques, comme des maximes d'un très bon rendement – que je me gardais bien d'appliquer !

Peu de temps après, je me mis à écrire en liberté pour ne surtout pas vivre ainsi, afin de ne pas courir le risque d'être lui. Devenir romancier fut ma manière jardinesque *de ne pas être Guitry.* La part d'influence qu'il exerça sur mes premiers personnages est centrale. Tous abritent des segments non négligeables de son ADN, déploient une solide dose de jeu guitryque dans leur façon d'être. La mode s'empara vite de mes petits ouvrages, mon nom brilla même au premier rang des célébrités de saison. Le succès apparent me figea dans cette solution minable : *écrire pour ne pas vivre.* Difficile de se défendre contre les compromis misérables lorsqu'ils vous sont favorables et génèrent de copieux revenus ! Mais je me savais intimement faux, engoncé dans les faux-fuyants, insuffisamment guitryque. Insuffisant donc ; pas littérairement, ce qui eût été sans gravité, non, pire encore, *dans mes mœurs privées.* Dans cette vie réelle que Sacha avait dominée et avec art, avec la théâtralité magistrale qui sied à ce Molière du XXe siècle, en la composant jour après jour comme un opéra bouffe, à la manière d'une fête brillante donnée par Lully.

J'ai donc tout lu ; pas l'intégralité des pièces de Sacha, non, les ouvrages dédiés à sa vie personnelle exagérée : les confessions de ses innombrables ex-épouses, les textes si pleins de nuances d'intelligence d'hommes ou de femmes de théâtre ainsi que toutes les biographies que sa frénésie de la représentation inspira. Volumes drolatiques qui, tous, m'échauffent mieux que la boisson. A chaque anecdote repêchée, à chaque liberté essayée par lui, je remercie gaiement Sacha – bien que la gratitude ait ordinairement quelque chose de triste – de me faire de si beaux souvenirs et de m'aider à continuer à naître. Et toutes les fois que je relis le récit de son décès, je pleure de vraies larmes, affreuses.

L'art de corriger le réel

Une scène de la vie de Sacha m'obsède depuis mes dix-sept ans. C'est l'Arquebuse qui me l'a racontée au téléphone, alors que je séjournais en Angleterre. Elle tenait cet épisode peu connu de Lana Marconi elle-même, sa dernière épouse qui le rapporte d'ailleurs, succinctement, dans ses Mémoires de belle tenue.

Etudiant à Cantorbéry, je me trouvais dans une cabine téléphonique rouge en train de détailler à l'Arquebuse mes frasques érotiques. Je lui racontais de la manière la plus circonstanciée mes écarts piquants. Ces petites vanteries n'avaient, bien entendu, pas le plus petit début de réalité ; mais j'aimais la réjouir en lui peaufinant des mensonges rocambolesques qui présentaient, je dois dire, un certain air de plausibilité ; car je me précautionnais de mille détails exacts pour patiner mes fables. Tout me fut toujours occasion de faire jouir ma grand-mère en imagination. Et puis, je n'ai jamais rechigné à me faire valoir aux dépens de la vérité.

Après ce flot de menteries réjouissantes, je lui confiai une difficulté bien réelle : celle de baigner dans une autre langue que la mienne, loin de ce français qui m'irrigue et qui m'a toujours été une joie nourrissante. De surcroît, cet exil très studieux était aussi insipide qu'on le puisse imaginer. Je rêvais d'esclandres et de galopades. L'inaction estudiantine, quasi végétative, me mettait au désespoir ; malgré les galipettes flambantes que je m'attribuais (en songe) dans les jardins de l'archevêché anglican. Par esprit de rébellion, et afin de ne pas suffoquer au milieu du déluge de mots saxons qui m'environnaient, je lui révélai m'être mis à écrire une pièce de théâtre qui mettait en scène, *en français*, les protagonistes de mon séjour trop feutré. La plume à la main, je francisais l'Angleterre gazonnée qui me cernait et, pour faire bonne mesure, tentais de donner à ma *girlfriend* au fessier prodigieux, plus d'esprit cinglant qu'elle n'en eut jamais. La mollesse de ses opinions et ses plaintes quotidiennes devenaient une ardeur généralisée. Sa bigoterie inattendue (cette charmante ne se laissait pas grimper avant le culte) se changeait sur mes pages en une agréable coquinerie.

De luthérienne doctrinaire dans les clous, elle se convertissait en épicurienne qui poussait la philosophie jusqu'à l'ivresse. Bref, je compensais la tristounette vérité à coups de dialogues qui me faisaient rire et m'exaltaient alors qu'en vérité je déprimais fermement.

Excitée par le procédé, l'Arquebuse m'interrompit et m'apprit que Guitry ne s'y était pas pris autrement lorsqu'il regardait les débuts de la télévision avec assez de dégoût. Il corrigeait alors les choses de la manière la plus nette, en recouvrant le monde de ses propres mots ajustés. Ai-je, sans le savoir, le gène guitryque et le réflexe du même nom ? En y mettant évidemment moins de brio... Avons-nous, Sacha et moi, les mêmes principes de rébellion face à nos déceptions, le même fonds de mœurs familiales détraquées et le même système de lutte souriante contre la dépression ? Cette scène qui fascinait l'Arquebuse, et que je ne cesse de méditer, la voici. Elle est fondatrice de ma religion sachatesque.

Juillet 1956, Sacha est déjà vieux outre mesure et alité. Tout grince en lui. Il ne se déplace déjà plus qu'en chaise roulante. Sa carcasse rembourrée a fondu. Les gifles du sort, la maladie et les tempêtes internes lui donnent la joue concave, la paupière lourdement drapée ; et quand il penche sa figure vers les miroirs, elle forme un masque livide qui se détache de l'os. Son squelette reste puissant mais la chair, désormais, s'organise mal dessus. Seule la morphine le soulage. Il sait que l'acteur Guitry a déjà disparu. Aussi se laisse-t-il pousser la barbe pour achever de l'effacer. Dans son dernier film, *Si Paris nous était conté,* il n'est apparu que fugitivement – pas son genre – et, pour le reste, n'a plus été qu'une voix monocorde, cette vaste et étrange respiration. D'ici un an, il sera mort – l'état le plus contraire à sa nature, m'assure l'Arquebuse ; mais pour le moment il regarde la télévision en noir et blanc aux côtés de Lana Marconi, la compagne qui partage l'affiche de ses vieux jours. Une beauté ensoleillée, beaucoup plus qu'un caprice ardent, qui n'est pas sans rappeler les traits de L., mon épouse un peu italienne.

Le journal télévisé débite des nouvelles ordinaires et gémissantes, comme il se doit. Puis le président du Conseil du moment fait une déclaration à son image, ternissime. L'enfumage habituel des faussaires de la République. Alors, soudain, pour contredire le manque de talent de la réalité, Sacha s'insurge. Cet enfant de soixante et onze ans se redresse et, s'adressant au petit écran, lui sert quelques répliques agiles et imprévues, du pur Sacha Guitry. Une forme de dialogue impromptu se noue entre l'écran et lui. Lana Marconi pouffe de rire, oublie leur âge, les malheurs corporels de son époux, les médecins. Sacha continue et se met à dialoguer avec la speakerine : il n'accepte pas de laisser au réel le dernier mot ! Les nouvelles reprennent des couleurs. L'espace de quelques minutes, le rire éloigne la mort de cette maison. Par la grâce de ce jeu, la tragédie est effacée, la sienne et celle du monde.

Une émission de variétés démarre alors, « A l'école des vedettes », présentée par la pétulante Aimée Mortimer. L'insipide à paillettes pénètre chez Sacha, s'invite dans cette maison rehaussée de chefs-d'œuvre qui laissent confondu (quelques Renoir, une flopée de Toulouse-Lautrec, des Degas, un peu de Monet, des Rodin et des Maillol en pagaille, etc.). Affreux contraste.

Guitry grimace. Piqué au vif par la nullité du babillage télévisé, il décide de faire mieux. Il coupe le son de son poste et, à la volée, s'amuse à doubler les mièvres parleurs avec une habileté merveilleuse. Sans chercher à faire coller ses propres mots avec les sonorités qui sortent des lèvres. Un instant plus tôt, l'animatrice à chignon paraissait d'un esprit embarrassé ; tout à coup la brave Aimée Mortimer pétille de frivolité profonde. Par la magie de cette improvisation, les ringards interviewés se mettent à causer le Guitry dans le texte, en moralistes insolents. D'obscurs et inintelligibles, ils deviennent géniaux au débotté ! L'acide guitryque coule de leur bouche. Giclée de drôlerie. Lana Marconi hurle de rire. Sacha a gagné : il prête son esprit à ceux qui n'en ont pas ! Avec une gaieté tout enfantine, il déconstruit la sottise du monde, l'annule, la conteste en pouffant. Alors ce moribond en forme va plus loin, car sa saine manie est d'aller toujours trop loin : il rebaptise son monde. La pâle Aimée Mortimer, anoblie pour la circonstance, devient une du Barry improvisée et le chanteur de charme Louis XV en personne ! La conversation, très coquine, ne se tient plus dans les studios de la Radiodiffusion-Télévision française mais au Petit Trianon. Le jeune roi a subitement des grâces, une fleur de langage et des propos de fascinateur. A force de guitryvaudage, tout finit bien : le chasseur Louis XV aura raison des résistances de la charmante qui se révèle... empressée, ardente et finement complaisante.

Sacha est ainsi : quand le monde le navre, il lui tient tête et le retouche en souriant. Jamais Guitry n'en a toléré les déficiences ; au théâtre comme dans la vie courante. Mon Sacha n'était pas apte à composer avec l'ordinaire des jours.

Un autre épisode sachatesque a achevé de m'en persuader et d'enclencher chez moi une réaction toujours plus marquée devant les déficiences de mon siècle.

En 1915, déjà homme de mots et ivre de sa parole, Sacha déplorait que la technique n'offrît au cinéma que des images muettes, autant dire inadaptées à son naturel loquace. Qu'à cela ne tienne, elles parleront ! Le jeune Guitry n'était pas homme à se soumettre aux inconvénients d'une époque.

Avec entrain, il vient de tourner un film hors du commun ; entendez qu'il a filmé des individus hors du commun : Auguste Rodin à l'œuvre dans son atelier, Sarah Bernhardt très automnale, le vieillard Claude Monet cherchant ses couleurs avec sa jeunesse d'imagination, Edmond Rostand affûtant ses mots une plume à la main, Degas vitupérant. Rien de moins. D'autres figures hors format sont fixées sur sa pellicule.

Le film s'appellera *Ceux de chez nous,* afin de rappeler aux Français qu'il n'est pas interdit d'être génial et de penser hors cadre.

Puis, pour ne pas s'oublier, Sacha s'est filmé en compagnie de Charlotte Lysès, une enchanteresse, la première d'une longue série qu'il s'est cru obligé d'épouser, dans un plan interminable où ils se rendent tous deux en automobile chez chaque célébrité, tout en causant avec entrain. La bobine pleine d'éloquence a été découpée en séquences distribuées à l'intérieur du film pour ponctuer et commenter ce documentaire. Mais voilà, le cinéma du début de siècle ne parle pas encore. Que faire ?

Le 22 novembre 1915, Sacha présente l'ensemble du montage dans une salle parisienne. Le public ignore qu'il va assister, fin 1915, aux débuts joyeux… du cinéma parlant. Sacha et Charlotte, son cher petit double, se sont logés discrètement sous l'écran. Postés au proscenium, ils attendent le début de la projection et, à la stupéfaction générale, reconstituent leurs paroles en les faisant correspondre avec une exactitude parfaite aux mots qu'ils articulent sur l'image. L'illusion triomphe ! Le réel est battu, augmenté. Guitry gagne contre son siècle. Mais c'est davantage que la post-synchronisation ou le play-back qui naît ce soir-là, c'est la possibilité, exprimée avec art et gaieté, de congédier les contraintes de l'abjecte réalité (qui, en 1915, avait de quoi effrayer).

Cette première mondiale m'en a curieusement inspiré une autre, plus à ma portée. Une première d'arrondissement qui m'a rendu mondialement célèbre dans un demi-pâté de maisons du centre de Paris. Excédé de ne pas pouvoir voir dans un livre d'enfant, *en vrai*, les images que produit mon imagination, je convaincs en 1996 un extravagant de haute tenue, Pierre Marchand, patron mythique de Gallimard Jeunesse, de me laisser tourner une sorte de roman-image pour moutard intégralement truqué. Puisque

Guitry, mon exemple, s'est permis de faire causer le cinématographe avant qu'il soit parlant, j'ai le droit de m'échapper des techniques traditionnelles en usage dans l'édition jeunesse.

Je veux confondre une bonne fois pour toutes fiction et réalité ! Et échapper au bégaiement qui frappe les écrivains réputés majeurs de mon temps (que d'aucuns nomment *une petite musique*). Je ne vais tout de même pas, à mon âge, prendre le chemin des morts de leur vivant qui, sans vergogne, supplicient leurs lecteurs de tortures récurrentes.

Le « tournage » du livre *Cybermaman ou le voyage au centre d'un ordinateur* fut... pharaonique. A un point qui confine au ridicule. Les prises de vue eurent lieu dans le studio personnel et campagnard d'un chef opérateur à moitié fêlé de mes amis, décédé aujourd'hui, qui collabora avec un jeune maquettiste d'exception. Mon équipe mobilisa des trucages numériques sans précédent dans l'édition. Le budget, affolant, n'eut rien à voir avec celui, plus radin, des « productions » ordinaires de Gallimard Jeunesse. Marchand eut le chéquier ample. A chaque prise des clichés qui partaient ensuite en laboratoire pour intégration numérique, je pensais à mon Sacha qui m'avait réveillé, mis en orbite loin, très loin des habitudes artistiques qui tuent l'invention. Réfractaire à mon tour, je ne voulais plus tenir dans l'espace courant de l'art que j'explorais. Je récusais l'idée même de la normalité qui nous contraint. Pourquoi supporter que le réel miteux nous déçoive ?

Le livre *Cybermaman* fut un four commercial exemplaire ; et la presse en fit d'abondantes moqueries !

J'ai été effrayé par ce mécompte.

Etait-il encore possible de s'aventurer comme Sacha loin de ce que le réel permet ordinairement ? de rebattre les cartes avec risque ? de s'insurger contre les usages ?

Mon ouvrage suivant fut d'un classicisme affligeant : un triomphe. Le marché applaudit mon conservatisme frileux. Le Paris des Lettres me félicita chaleureusement.

Humilié, je me suis rendu sur la sépulture de Sacha, à l'entrée du cimetière de Montmartre, avec un exemplaire de *Cybermaman* sous le coude. C'était un matin d'hiver grelottant et blême. Pas bien fier, je me suis prosterné devant la tombe de l'artiste qui avait fait parler le cinéma avant tout le monde et lui promis, un jour, de ressusciter son audace pionnière. Ce courage m'a si souvent fait défaut.

Sacha, je t'en demande pardon.

Saurai-je un jour être ton fils ?

D'autant que j'ai appris récemment qu'en 1935 tu participas à un autre événement de rupture. Tu as dialogué en duplex avec Chaliapine,

Pauline Carton et d'autres comédiens lors de la première tentative de télévision sur la tour Eiffel !

Osons ! Osons !

« L'Arquebuse, pourquoi ai-je autant de mal à admettre que la fiction et le réel soient deux planètes distinctes ?

— Parce que je t'ai convenablement déséduqué, mon chéri... », me répond-elle sur le ton de l'évidence.

Nous sommes en 1990. J'ai vingt-cinq ans. Navré, je soupire : « J'appelle presque toujours mes héros Alexandre pour qu'ils vivent à ma place.

— Mais c'est très sain, hygiénique même ! s'exclame-t-elle.

— Hygiénique ?

— Les gens sains d'esprit savent qu'il n'y a pas d'étanchéité entre ces deux mondes. Il y aura toujours plus de vérité dans une pièce de Shakespeare que dans le journal ! Et plus de théâtre dans l'actualité que sur la plupart des scènes !

— Vraiment ?

— Le XXe siècle a planté des stations-essence le long des routes et des idées confuses dans nos têtes. Le roman n'est pas fait pour la littérature mais pour la vie ! »

Sur le même ton badin, l'Arquebuse me raconta qu'en 1938, à Monte-Carlo, Sacha avait administré en grande pompe la preuve de ce qu'elle venait d'affirmer. Non content d'avoir réalisé un chef-d'œuvre sur l'art de jouer la comédie – le film *Quadrille,* adaptation de sa pièce à succès, sans doute le meilleur essai sur le sujet –, il avait, le soir de la première, résolu de remettre en question le rituel solennel de ce genre d'événement mondain.

« Pourquoi ?

— D'abord parce que les habitudes révulsaient Sacha. Ensuite parce qu'il souhaitait, je crois, signifier dans la vie réelle ce que son film dit sur pellicule ! Chez lui, l'instinct de désobéissance était toujours aux aguets.

— De désobéissance...

— Il désirait hurler à ce public trop adulte sa conviction que la vraie vie et la fiction ne sont séparées que par une mince frontière... »

La projection commença normalement dans le grand théâtre des Variétés à Monaco, sans agitation particulière. Les célébrités de saison étaient là, au complet, ignorant encore dans quel tourbillon elles allaient être entraînées. L'Arquebuse se trouvait assise près de Jean, mon grand-père officiel, pétulante de féminité et disposée à se laisser étonner par la vie.

En roi de Paris – car si Sacha fut toujours en représentation c'est davantage en monarque qu'en acteur –, Guitry prit place dans la salle auprès de ses comédiens. On reconnaissait à ses côtés Jacqueline Delubac qu'il aima de très près et Gaby Morlay d'un peu plus loin, avec amitié, ainsi que toute une France monoclée à collet monté. Le film démarra, le film enchanta. Cette évasion du réel, filmée avec fluidité, est si réussie que Sacha se paie le luxe de faire dire la vérité à tous ses personnages et aucun n'est cru – il démontre ainsi que la réalité ne sera jamais crédible… en le disant sans trop le souligner.

Et soudain, à l'issue du premier acte, Sacha interrompt la projection. L'animal bondit sur la scène avec ses comédiennes pour jouer en chair et en os, sous les yeux ébaubis du public et de l'Arquebuse, l'intégralité du deuxième acte. Comme des gosses. Moment parfait qui confine au chef-d'œuvre. L'enchantement vire à l'extase, le rire à l'allégresse. Ma grand-mère se pâme, en oublie ses sens. Au début du troisième acte, rouges d'émotion d'avoir succédé à leur image en noir et blanc, les acteurs réintègrent leur place de spectateur dans la salle. Porté par sa démarche aussi lente que puissante, Guitry regagne également l'ombre. La projection reprend son cours avant de s'achever, au terme du quatrième acte, dans un tonnerre d'applaudissements qui, soixante-quinze ans plus tard, me laisse frissonnant.

Ce soir-là, Sacha démontra, en ayant l'air de simplement distraire, ce que je pense avec foi et qui ne laisse pas de m'inquiéter : nous pouvons à tout instant quitter nos places de spectateurs pour devenir les comédiens de nos vies, les acteurs réels d'existences cinématographiques ou théâtrales dilatées par notre imagination. Nous avons le droit de gommer la limite entre soi et le personnage que nous méritons d'être. Il suffit d'aimer les épices d'un art de vivre en rupture avec le déjà fait et le déjà pensé.

Cette fièvre de projeter le spectateur sur une scène enchanteresse réapparut dans la pièce de Sacha intitulée *Florence* ; car il n'était pas Français à s'assagir. Au premier acte, en 1939, l'actrice Elvire Popesco, célèbre pour sa langue bien pendue et ses saillies, lançait des répliques véhémentes à partir d'un fauteuil d'orchestre ; ce qui suscitait un tollé chez les spectateurs. Sacha ayant prévu ces réactions, deux agents de police, des comédiens naturellement, ne tardaient pas à débouler et venaient évacuer la bruyante Popesco que l'on retrouvait sur les planches au deuxième lever de rideau. Simple pitrerie de music-hall ? Non, désir impérieux de découdre les frontières ténues entre le réel et la belle liberté de la fiction. Créateur débordé, emporté par son idée de soi juvénile,

Sacha souhaitait que le théâtre – qui semblait pourtant tout pour lui – ne soit que la partie immergée d'une œuvre bien plus colossale qui serait sa propre existence, son grand œuvre.

D'ailleurs la première idée qui germa dans sa tête lorsqu'il accepta d'écrire pour le cinéma et d'y jouer en 1917 – dans *Un roman d'amour et d'aventure,* film aujourd'hui introuvable –, ce fut pour refuser l'affront que la vie lui avait infligé en le condamnant à n'être... qu'une seule fois lui-même. Sacha se dédoubla aussitôt sur l'écran pour incarner, grâce à un trucage, de vrais jumeaux. Puisque la technique lui interdisait de parler, il vivrait deux fois plus sur une pellicule muette ! On se rembourse comme on peut.

Cet auteur rayonnant ne m'apparaît jamais comme une personne étrangère mais comme une interprétation réussie de ma propre personnalité, pataude et consternante.

Longtemps j'ai cru que mon manque de fortune limitait la démesure de mes initiatives privées (comme s'il suffisait d'être nanti pour tout oser !) et que ma scandaleuse inhibition tenait à mes origines quelque peu débridées. Contrecoup d'un désordre paternel aggravé d'embardées maternelles peu classiques. Mais la boîte noire est plus coriace à déchiffrer. Le climat actuel n'incite pas à chausser de grandes bottes pour aller loin. Il règne chez nous autres Français, voyageurs d'un temps à présent résigné et raidi, une inaptitude à conjuguer le verbe oser. Et à dire *nous* avec éclat. Recroquevillement collectif qui amoindrit et nous atteint, je le crois, à la moelle de notre identité, jadis rouée et frondeuse. Nous ne sommes plus pressés que de ralentir et n'avons plus faim que de régimes. Punis par une crise sans fin, nous semblons n'avoir plus que la fantaisie de n'en avoir aucune. Nous ne voulons désormais que l'honneur d'être précautionneux, de gagner petit, de ratiociner, de dénoncer autrui. Voulez-vous être un peu politique à Paris ? Il suffit d'être pusillanime. Désormais, il nous appartient d'ironiser, de débiner sans rougir les Depardieu, d'insulter les capacités d'exception et de jalouser fermement ! La fleur étincelante de l'esprit national n'est plus la hardiesse qui fut naguère notre blason mais l'art de se poser en victime, en cible du hasard. La plainte est la matière de toutes les conversations, la défausse notre orgueil et la gravité notre attitude coutumière.

L'art de jouer à domicile

Le décor principal de Sacha, comme on pouvait s'y attendre, était un domicile aux allures de théâtre ; car son rêve le plus constant était d'avoir un théâtre chez lui. Entendez un lieu poétique où les amis à qui il accordait sa présence ne seraient pas venus pour le voir jouer mais pour jouer avec lui la pièce étincelante qu'il se donnait chaque jour à lui-même. Ainsi aurait-il pu entrer en comédie dès le petit déjeuner et, le soir, monter s'aliter en mimant son coucher, imitant en cela Louis XIV – son alter ego imaginaire qui, lui aussi, menait sa vie privée à grandes guides.

Son hôtel particulier – rêvé et bâti par son père, l'extraordinaire comédien Lucien Guitry – permettait cela. Cet édifice improbable, parfaitement inhabitable par un non-Guitry et aujourd'hui détruit, s'élevait jadis au 16 de l'avenue Elisée-Reclus, en bordure du Champ-de-Mars. Des individus avides – ordinaires donc – l'ont fait sauter pour gagner gros. L'essentiel de l'espace était occupé par un escalier hyperbolique conçu pour apparaître, ou plutôt pour entrer en scène lorsque se présentait un invité de qualité ; j'allais dire un spectateur. Les pièces à vivre, d'une incommodité incroyable, étaient absurdement exiguës, comme des loges de théâtre à l'italienne. Ce qui est logique : la vie privée de Guitry père et fils se trouvait très restreinte. Ou plutôt, elle n'avait pas lieu d'être ; ce qui me réjouit tant j'espère, un jour, être capable d'être moins scindé, de réunir en un seul Alexandre tous ceux qui me tiraillent. L'escalier imposant avouait le principal : chez les Guitry on soignait ses entrées. Tout était dans l'art d'apparaître en grand seigneur français, de *guitryser* de manière insolite sur un perchoir pour saisir son interlocuteur et capter son attention, si possible dans une robe de chambre bleu marine, soutachée d'un rouge discret, et rehaussée d'une cravate exubérante de commandeur de la Légion d'honneur (à midi, en toute simplicité !). Sacha ne pouvait pas accueillir dans un vestibule indigne d'accueillir le comédien subjuguant qu'il ne cessait jamais d'être. Il lui fallait... un décor ad hoc.

Ce qui m'a parfois tenté : *un décor ad hoc.* Lorsque je tournais le film *Fanfan*, à vingt-six ans bien tassés, je disposais des décors de mon film construits en studio et fus assez tenté de m'en servir la nuit comme d'un domicile où loger ma propre fantaisie sentimentale. M'intéressait surtout un curieux appartement en partie double, séparé par un miroir sans tain, où les personnages du film – Fanfan et Alexandre, mon jumeau cinématographique – pouvaient vivre en couple sans que l'autre le sût, de manière à s'épargner les inconvénients de la vie à deux. Maintenir le désir en ses sommets y devenait plus aisé. Mais je n'ai, hélas, pas eu le cran de proposer à ma première femme d'y établir pour de vrai nos quartiers nocturnes.

Aurait-elle consenti à jouer de bonne grâce avec les rêves que manipule ce film ?

Chez Sacha, le réel s'arrêtait au seuil de son ahurissante maison. Il était en quelque sorte refoulé à l'extérieur, dans le monde désenchanté des adultes, là où on ne joue pas (du moins avec art). A l'étage, rien que des chefs-d'œuvre inestimables accrochés aux murs ou glissés sous des vitrines toujours recomposées, au gré de ses humeurs fantasques. Comment tolérer chez soi autre chose que des morceaux de perfection française ? Sacha aurait-il pu vivre autrement qu'au milieu d'une richesse aristocratiquement dépensée, dans un faste prononcé, magnifiquement hospitalier ? Tout cela est attendu chez un Guitry.

On peut également se figurer, avec quelque raison, que s'agitaient dans ce décor une galerie d'individus transformés par Sacha en personnages. Et en comédiens de haut style. Ses femmes bien entendu, nous y reviendrons. Elles occupaient un rôle central dans cette distribution. Mais aussi un flot de visiteurs de bonne compagnie qui, dans un fascinant tohu-bohu, ne cessaient de sourire que pour rire aux éclats, d'auteurs poilants qui faisaient assaut d'épigrammes, d'amis invraisemblables (l'actrice Arletty fut-elle un caractère plausible ?), de commensaux époustouflants sur qui Sacha rodait ses répliques, donnait des leçons d'impertinence et testait ses tirades semées de traits heureux. C'est avec eux qu'il expérimentait *in vivo* les situations de ses nouvelles pièces en les jouant sans avertir personne, en posant alors des questions pièges, en inventant des accusations fausses ; ce qui occasionnait des moments de sidération, mais aussi des fous rires et parfois de la franche panique. Ce répertoire de situations inspirait ses fameux mots d'auteur qui portent coup.

L'incessant va-et-vient de rendez-vous impromptus ou prévus ne le gênait nullement dans son travail, l'excitait même, stimulait sa création sur le vif. Aussi dictait-il des scènes entières – d'une traite, sans ratures – à sa secrétaire-dactylo (l'inénarrable Mme Choisel), tout en recevant princièrement, en servant le thé, en répondant au téléphone qui ne faisait jamais trêve, en embrassant, en s'esclaffant, en réparant une brouillerie, en nuançant de scepticisme les opinions des uns et des autres. Ses interlocuteurs, ou plutôt son auditoire, participaient à ce remuement général, aux farces qu'il fomentait sans répit car Sacha jugeait désobligeant, voire un peu vulgaire, de recevoir sans épater, sans exécuter quelques tours de magie déguisé en fakir, sans donner un cours de yoyo vêtu en La Fontaine (fréquentant beaucoup les magasins de jouets, ce galopin habile disposait d'un matériel abondant). Il y avait en permanence dans son salon et devant ses vitrines des ministres provisoires mais authentiques, de vrais rois qu'il imitait à merveille, des artistes inimitables, des musiciens discrets qui firent date. Sans oublier la kyrielle de comédiens qui, à la ville, s'amusaient à jouer les rôles qu'ils interprétaient dans ses pièces et films. L'épatante Pauline Carton trinquait souvent à sa table. C'était elle qui incarnait habituellement sa femme de chambre à l'écran ou sur scène et qui, dans les hôtels huppés de leurs tournées triomphales, se faisait parfois passer avec le plus grand sérieux pour sa *bonne* réelle.

Posté à l'entrée de l'avenue Elisée-Reclus, on trouvait un cerbère à lunettes d'écailles, sa secrétaire aux yeux tâtonnants de myope – l'adorable Fernande –, qui cavalait constamment derrière Sacha avec un calepin pour prendre en note, à la volée, les pièces innombrables et la flopée de scénarios qu'il lui dictait sans discontinuer ; car Sacha est un auteur qui n'arrête jamais d'écrire (ce que je comprends). Avec l'obsession que ses œuvres nouvelles mériteront un jour d'être anciennes. Ce n'est pas un écrivain, c'est un homme-écriture, un puits artésien d'encre bleue, une imagination conquérante, toujours en recherche de la fluidité de la phrase juste, hésitant perpétuellement sur le mot à souligner d'un effet, corrigeant avec maniaquerie son épouse du moment si son geste ou sa diction n'est pas *exactement ce qu'il faut.* Fantasme qui m'a si souvent tenté et que je n'ai jamais osé assouvir : se conduire en metteur en scène de sa femme ! Pour la magnifier sans répit !

Sa dactylo à toute épreuve répondait, on le sait, au nom de Fernande Choisel, mais le Maître jugea un jour préférable de l'anoblir en la faisant *baronne de Choisel,* pour donner du cachet et du scintillant à sa demeure ; et aussi pour la remercier de son dévouement (il ne retira son titre à Fernande que lorsqu'il s'allia à une aristocrate réelle – Geneviève de Sérigny, ex-Miss *Cinémonde* – qui, imbue de sa particule, prit ombrage de cette baronnie factice). Cette dactylo émérite jouissait même d'un délicieux blason qu'il lui avait dessiné avec soin. Les titres de noblesse, c'était Sacha qui les conférait, les inventait. Comme on pouvait le flairer, tout individu qui pénétrait avenue Elisée-Reclus changeait partiellement d'identité.

Mais il y a plus étrange encore dans ce domicile où règne le spectacle sept jours sur sept, des bizarreries qui nous ouvrent, à nous les non-Guitry, d'autres horizons ; car les excentricités de ce plumitif de génie n'auraient guère d'intérêt si elles n'avaient été explorées pour notre compte à tous. Ses dingueries nous indiquent jusqu'où il est possible d'exister autrement en jouant de tout. Et jusqu'où nous pourrions infléchir notre propre manière d'être, même à doses plus réduites, si nous étions moins retenus par l'absurde sens du ridicule qui nous éteint.

Sacha se déguisait fréquemment chez lui, avec naturel, alors que nous – j'entends moi et mes amis de cœur, mais aussi la foule des non-Guitry – commettons l'erreur d'être constamment enfermés dans notre propre personnage que nous n'osons pas aérer, ou renouveler de fond en comble. En scène, Sacha ne portait jamais de costumes de location comme un acteur courant. Chacun des habits de ses personnages était commandé à ses mesures exactes, sur son compte, de manière à pouvoir être porté à domicile ou en ville comme des tenues seyantes. Sacha écrivait et jouait les caractères qu'il désirait convoquer dans sa propre réalité.

Ses costumes de scène étaient donc rangés dans sa penderie personnelle, avenue Elisée-Reclus, tout comme ses pots de maquillage et ses perruques de prix. Possédant chez lui, grâce à ce dressing qui s'enrichissait au fil des pièces et de ses films, une machine à multiplier les identités et à circuler dans le passé, il pouvait à tout moment se transformer en Talleyrand susurrant de bons mots, en Pasteur affairé, en Louis XIV hiératique et coquin, en évêque du Grand Siècle ou en valet de chambre patelin des années 30. Sans oublier sa fameuse panoplie de mage – sortie directement de sa pièce *L'Illusionniste* –, qu'il endossait de temps à autre.

Dès que Sacha s'éclipsait ou s'accordait quelques minutes de détente, il fallait s'attendre à tout. Ses désirs irrationnels, souvent détraqués, et parfois démoniaques, lui dictaient sa conduite – ou son inconduite.

Fin 1946, la (vraie) femme de chambre de l'avenue Elisée-Reclus déboule dans le bureau de la (fausse) baronne de Choisel en s'écriant avec un désarroi maximal (authentique) : « Madame Choisel...

— Baronne ! rectifie Fernande qui, dévouée au Maître, a fini par adopter son personnage.

— Madame la baronne, reprend la chambrière désorientée, M. Guitry est déguisé en Talleyrand, au premier étage, totalement maquillé, il boite bien... et il m'a demandé, en causant bizarrement, de lui monter l'aspirateur. Il va certainement changer les tableaux de place. Vous devriez aller voir, madame de Choisel. Je n'ose pas lui parler, il est étrange en ce moment. Il me fait peur ! »

Au premier étage, Charles-Maurice de Talleyrand-Périgord, ministre des Relations extérieures de Napoléon, est effectivement debout sur le bureau de Sacha Guitry soi-même. Grimé à la perfection, perruqué et courroucé, la canne pointée sur ce qui lui apparaît comme une hérésie, Sacha déclare d'une voix outrée et en jouant de son timbre sonore aussi vif que nonchalant : « Non, ce bouquet éclatant de couleurs ne peut être placé si loin de la lumière. Les fleurs ont besoin de soleil… Plus près de la fenêtre, je vous prie. Hein ! N'est-ce pas, madame la baronne ? »

Puis il se reprend avec cet esprit de douceur et de modération qui sied si bien à la supériorité. Boitant à merveille, pailleté et luisant de satin blanc, mousseux de dentelles et de poudre, Sacha modifie alors l'agencement des tableaux tout l'après-midi, révoque Corot, flatte Monet, en imaginant ce que Talleyrand aurait souhaité et en conservant sa voix aristocratique, exquisément démodée, pour dicter une pièce… contemporaine, mais imperméable aux influences parisiennes du moment. Sacha a la prétention d'être inactuel. Ce jour-là, les scènes de Guitry furent en quelque sorte coécrites par le Diable boiteux, soudainement associé à Sacha, avec des adresses de langage et des saillies qui fleurent bon le XVIIIe siècle heureux. Mais tout se télescopait à la diable car son Talleyrand n'était lui-même qu'un personnage recréé par Guitry, revisité par sa verve qui amplifiait celle du merveilleux félon qui, faut-il le rappeler, n'était pas absolument scrupuleux.

Le soir même, Sacha se coucha *à la Talleyrand* : dans un grand lit de parade drapé de soie, empanaché de plumes où il se tenait, comme Charles-Maurice de Talleyrand-Périgord prince de Bénévent dans sa fin de vie, tout luisant de pommades et à peu près assis afin d'éviter, prétendait-il, l'apoplexie. Sa tête était coiffée de quatorze bonnets de coton superposés, destinés à protéger sa vieille tête contre les chutes nocturnes. Résolument indécis, il était très ferme sur le chapitre des précautions et des ablutions. Deux laquais en costume se disputaient l'agrément de verser dans le nez de Sacha-Talleyrand, grâce à une pipette, deux verres d'eau tiède qu'il recrachait par la bouche, ainsi que le faisait jadis Charles-Maurice, immensément propre du côté des orifices.

Je le confesse, j'ai moi aussi longtemps pris plaisir à boiter dans notre maison de campagne, à Verdelot, surtout pendant mon adolescence, seul ou avec le Zubial, afin de jouir de ressusciter Talleyrand que j'affectionne comme un vieil oncle. Cet évêque apostat qui régla les destinées de l'Europe avec sa plume comme Bonaparte ne put le faire avec son épée ne cesse de me séduire. J'essayais alors les meilleurs mots de cette réjouissante canaille, en me mettant en condition ; mais jamais, au grand jamais, je n'eus le cran de me travestir complètement – j'entends me maquiller – ni la capacité de *rester dans le rôle* tout un après-midi. Ni le courage de porter perruque en public en servant avec aplomb les meilleurs mots du Diable boiteux qui, jadis, firent bruit (que je confonds parfois avec les répliques du film de Sacha). Bloqué dans mon caractère de pauvre d'esprit, je n'ai hélas pas le talent d'être plusieurs. La trouille du ridicule aussi me freine et contribue à faire de moi cet homme *empêché* qui me navre. C'est à peine si, de temps à autre, je me promène au petit matin (pour ne pas effrayer ma femme), dans un Paris désert, habillé en général de Gaulle (mais sans képi ni échasses), comme on assouvit furtivement un fantasme extrême ; mais pas place de l'Etoile, uniquement dans les rues adjacentes, plus discrètes.

Avec le temps, Guitry, lui, n'hésita plus à s'aventurer hors de l'avenue Elisée-Reclus accoutré dans les tenues chamarrées de ses personnages, en grande toilette. A toute heure ! En plein jour, il ressuscitait sans vergogne la fantasmagorie de 1815 sur le pavé de Paris en sortant des uniformes dorés, des panaches, des sabretaches, des dolmans à brandebourgs, des sabres authentiques traînant toute la gloire de l'Empire. Il fallait qu'il s'échappât de la fiction pour pénétrer le réel, le féconder et en compenser les ombres. Sur les plateaux, il exigeait souvent que les techniciens l'appelassent par le nom de son personnage : *Si monsieur Louis XIV veut bien se donner la peine d'éteindre sa cigarette... Votre Altesse, on vous attend pour les réglages lumière...* Mort aux petitesses de l'époque ! Vive la France rêvée !

Un jour que Sacha tournait un film en costumes, une fresque de sa façon, dans les studios de Joinville-le-Pont, des amis lui téléphonèrent pour l'inviter à dîner le soir même. Guitry leur répondit que cela ne lui serait sans doute pas possible, car il devait tourner très tard et n'aurait sûrement pas le temps de se changer. Ses amis insistèrent et lui assurèrent que cela n'avait guère d'importance. Qu'il vienne donc comme il serait, au naturel ! Or il se trouvait que dans la dernière prise de vue, ce soir-là, Sacha surgissait dans un costume de velours brodé d'or, une culotte de satin rare, des bas immaculés, des souliers vernis à boules d'excellente facture, un tricorne majestueux, une perruque tenant du délire, le grand cordon bleu lui barrant la poitrine et, pour finir, une épée damassée interminable.

A la stupéfaction générale, il se présenta chez ses amis au sortir de son tournage en... Louis XV (revu par lui) ! Le maître d'hôtel (un vrai) qui ouvrit la porte en resta littéralement muet. Sacha fit son entrée dans un grand silence d'ahurissement, comme s'il s'était trouvé en haut des escaliers de l'avenue Elisée-Reclus ou à Versailles, ce qui revient au même. D'un geste ample, désuet et élégant, il lança son tricorne royal sur un fauteuil. Puis, retrouvant un bref instant sa voix privée, il s'avança en proférant ces mots rimés : « Excusez-moi, de grâce, chers amis, d'être venu dans cet habit. Oui, laissez-moi vous expliquer ma mise, car, cette liberté, c'est vous qui l'avez prise... Eh oui, vous m'avez dit : “venez comme vous serez”. Alors que voulez-vous ? Vaille que vaille, me voici dans mon costume de travail ! » Mais c'est en Louis XV que Sacha termina la soirée. On crut évidemment à une farce, à une simple *sachaterie*. Pour ma part, je flaire qu'il ne fut sans doute jamais plus heureux que dans la culotte du dernier grand roi de France, en lui prêtant des répliques incisives que Voltaire n'eût pas désavouées.

Un jour, il pria la baronne de Choisel – ma piété m'impose d'employer ce titre – d'avertir Lana Marconi, sa dernière compagne, que son éminence le cardinal X, un intime du pape, se trouvait dans le hall de l'avenue Elisée-Reclus et qu'il serait heureux de lui présenter ses hommages. Guitry avait ses raisons de se dérober. Des raisons sachatesques que je partage, comme vous allez voir. Lana discutait de tout et de rien avec une amie dans sa chambre. Elle fut troublée d'être prise au dépourvu, de ne pas avoir le temps d'accorder sa tenue à celle du personnage considérable qui la visitait, de ne pouvoir décemment le faire attendre. Son amie la rassura sur sa mise, divine assurément.

Lana descendit les grands escaliers, en semblant répéter une leçon donnée par Sacha. Lana Marconi n'était pas encore comédienne mais, en digne madame Guitry, ne voulait en aucun cas rater son *entrée*.

Le cardinal lui tournait le dos, en grande tenue sacerdotale.

Sacha ne se trouvant pas dans son bureau, Lana hésita à s'avancer. Son éminence se retourna, affable et désuètement courtoise. Ils engagèrent la conversation sur un mode délicieux et, soudain, le prélat la morigéna avec verdeur ! Lana reconnut alors sous la pourpre cardinalice l'homme qui la surprendrait toujours, le seul mari d'Europe avec qui l'amour pouvait être un jeu sincère. Son zèbre ! Rire général, partagé. Le haut dignitaire de l'Eglise lui fit alors esquisser quelques pas de danse endiablée. Une fois de plus, Sacha lui jouait un tour pour enchanter le quotidien et relancer leur histoire. Avec la conviction que le théâtre doit être un écho des merveilles de l'existence et non l'inverse.

Quand le texte de sa pièce du jour commandait un repas, il ne le voulait jamais factice. Sacha *vivait* la situation, lui. Sur scène, ce dément exigeait du vrai poulet aux morilles, de la côte de veau aux girolles ou des écrevisses fraîches. A bonne température et toujours dans des assiettes chaudes pour que la sauce ne figeât pas (au diable les fautes de goût !). Sacha méprisait les accessoires. Et pas de copies de tableaux dans ses décors ! Entendez bien ce que cela signifie : *pas de copies de tableaux dans ses décors !* L'art selon Guitry doit être intensément vrai. Pas d'abaissement, de faux pas vers le factice. Puisant dans ses réserves personnelles, Sacha n'acceptait de jouer que devant du vrai Renoir, du Degas authentique ou éclairé par du véritable Monet ; quoi qu'aient pu en penser les assureurs de sa collection de tableaux qui s'arrachaient les cheveux. Sur le front de la guerre du goût, Guitry ne se battait pas avec des cartouches à blanc. Et quand son personnage écrivait une lettre, c'était sur son véritable bureau qu'il avait fait transporter sur scène, bureau sur lequel il avait d'ailleurs écrit le dialogue qu'il était en train de jouer.

Aux yeux de Sacha, il fallait que le théâtre soit toujours le lieu de l'expression du vrai supérieur, de l'hypervrai, celui qui nous échappe si souvent dans l'existence. Courageux, il récusait les frontières entre la personne et le personnage. La scène demeurait constamment l'endroit du privé et la vie privée le lieu même du théâtre.

Né Jardin, donc prédisposé à m'enrôler dans ce genre de sagesse, je me sens sur ce point en retrait de Sacha. Un ami sagace me faisait observer récemment que maintenir un fossé entre vie intime et sociale relève sans doute moins de l'amputation que de l'enrichissement. Quelle erreur ! Ceux qui s'aventurent sur ce chemin gagnent en homogénéité et semblent atteindre une densité de caractère qui me fait défaut. Leur existence est un banco alors que moi, piteusement, j'observe de loin les vrais joueurs qui misent leur dernière chemise. Par suite, je ne fais jamais sauter la banque. En français, il y a une expression pour cela : *petit joueur*. Sans doute me manque-t-il encore certains vices majeurs pour être vivant.

L'art de nier élégamment la loi

Une seule fois, je me suis permis de vivre comme Sacha.

Cette fois fut une échappée magnifique sous tous les rapports mais elle témoigne, malgré tout, de ma couardise. J'ai profité d'une situation où la vie dite régulière autorise et légitime certaines fantaisies, en me contentant de pousser le jeu un peu plus loin.

Lorsque je me suis marié en secondes noces, j'avais imaginé une cérémonie parfaite… dans un théâtre à l'italienne, plantée au milieu d'un authentique décor de Feydeau, afin que l'authenticité de nos sentiments éclatât. Existe-t-il plus noble temple de la vérité qu'un théâtre ?

Pirandello n'eut-il pas raison d'affirmer que *la scène est un endroit où l'on joue à jouer pour de vrai* ? Il s'agissait d'une *sachade* poignante de sincérité – dont vous ne saurez rien de plus – qui aurait procuré, je le crois, une joie intense au fils de Lucien Guitry ; ainsi qu'à Feydeau qui fut l'un des témoins du deuxième mariage de Sacha. Beaumarchais, lui aussi, n'aurait pas été mécontent de me voir surgir sur la scène les yeux bandés, au bras de ma mère, pour me réveiller dans mon rêve...

Le véritable maire de notre arrondissement, à Paris, devait y jouer un rôle ; mais j'appris à cette occasion que le premier magistrat d'une commune française n'a pas le droit d'unir deux êtres en dehors des murs de sa mairie, sauf cas de force majeure. *Dura lex* tricolore, *sed lex*. Nous dûmes donc nous débrouiller sans le concours dudit personnage. Ceux qui participèrent à cette cérémonie sachatesque et honnête (pléonasme) se souviennent encore avec émoi de ce morceau de pur roman. Rien ne fut joué, tout fut déjoué. Les détails de ce songe réalisé nous appartiennent, notamment l'éblouissant travail sur la lumière qui transfigura mon épouse comme aucune mariée ne le fut jamais en Europe ; je n'en révélerai donc pas plus. Mais le vrai maire manqua, je l'avoue, à la féerie convoquée pour la circonstance. Manquait la touche de légalité authentique faisant irruption dans cette comédie de gens de cœur qui tentaient, du moins pour ma part, de rejoindre la liberté fastueuse du grand Sacha.

Sacha, lui, n'hésita pas une seconde à... provoquer ledit cas de force majeure pour ses premières noces ! La loi, il s'en fichait déjà comme d'une guigne. Le code civil lui semblait avoir été rédigé par des ennuyeux pour la cohorte des suiveurs.

14 août 1907. Sacha est épris d'une ex-maîtresse éconduite de son père, Charlotte Lysès. Une fornicatrice adroite, bouillante et intelligente qu'il a décidé d'épouser gaillardement pour agacer son papa et, au passage, choisir le lieu de son service militaire ; ce qui, dans les deux cas, comble la dame. Comment ? En faisant une farce énorme aux autorités civiles. La scène se tient dans une propriété près de Honfleur, en Normandie ensoleillée, toute bleue de vent d'est. Leurs amis Alphonse Allais et Tristan Bernard ont été convoqués ainsi que d'autres spécialistes de la bonne humeur avec qui l'esprit français, affiné, gagna quelques galons. Déjà le jeune Guitry aime s'intoxiquer de drôlerie et de célébrités légitimes. L'été règne. Pimpante, Charlotte a revêtu une robe légère.

Les yeux exaltés, Sacha tourne la manivelle du téléphone en corne, demande à la téléphoniste nasillarde qu'on lui passe au plus vite le maire, et se présente en adoptant une voix diaphane de moribond ; puis il prie l'édile normand de bien vouloir procéder à une union *in extremis*, tout déplacement lui étant interdit, ses heures lui étant comptées. Emu de parler à Sacha Guitry en de telles circonstances quasi funèbres, le maire acquiesce. C'est entendu, il rappliquera avant le décès.

Sacha se précipite alors au lit, se compose une figure des derniers jours, se maquille funèbrement, juste ce qu'il faut pour obtenir un teint blême, et patiente en essayant des postures de gisant. Un état de grâce inquiétant illumine son faciès grimé, le rayonnement de cette éternelle et énigmatique adolescence qu'il ne quittera jamais. Ce jour-là, Charlotte sait qu'elle n'épouse pas un homme mais le jeu sans borne, le défi à toutes les règles ; mais aussi, ce qui va se révéler plus problématique pour elle, un visionnaire qui n'aura de cesse de réinventer sa partenaire de jeu. En assurant seul, hélas, la mise en scène du quotidien sans quotidien qui les attend.

Le maire accourt escorté de son secrétaire, dans un costume mi-mariage mi-enterrement, affectant une tronche qui, essayant d'être de circonstance, n'arrive qu'à être lugubre. Râlant, disposé à rendre l'âme mais surtout pas son esprit, Sacha cherche le mot de la fin qui sied à son talent. Il a des suites d'expressions vives, pathétiques, drolatiques, capricieuses, jamais définitives, des expressions essayées. A-t-il trouvé la formule désirée qu'il cherche encore avec exaltation. Ce n'est pas tous les jours que l'on trépasse ni que l'on se marie ! Tristan Bernard, grand ami de son père (qui ne rira pas de la scène), s'efforce de l'aider. Charlotte se retient de glousser. Comme elle le confiera ultérieurement, « il n'est pas facile d'épouser un mourant qui vous fait mourir de rire ». A la lecture des articles du code civil, le silence s'épaissit : on entre pour de vrai dans l'illusion ; tout ce que j'aime. Charlotte serre les mâchoires afin de ne pas se tordre de rire. Alors, comme dans une scène de Beaumarchais, son auteur favori, Sacha signe le registre d'état civil d'une main tremblotante que suivent des yeux pâles d'agonisant. En guise de félicitations, le maire lui souhaite une meilleure santé et commence à évoquer la médecine moderne qui, affirme-t-il, fait de grands progrès. Alors Sacha se lève d'un coup, le geste ample. Il est en caleçon de bain ! L'indiscipliné toise le maire, déclare que le mariage l'a complètement guéri et lance : « Je me fous des médecins et de la médecine. Vous allez tous boire à mon excellente santé. Monsieur le maire, vous excuserez certes cette petite mise en scène. Il me la fallait pour être encore plus heureux ! » Eclat de rire général. Vexés, l'élu (moins benêt que le mien) et son secrétaire finissent tout de même par se mettre dans la note, rejoignent l'hilarité des artistes et négligent l'*outrage à magistrats dans l'exercice de leurs fonctions* dont ils viennent d'être, fort gaiement, victimes. La loi ne concernera jamais Guitry.

Pas plus que moi et la plupart de mes intimes. Je ne suis pas un hors-la-loi – je n'en ai ni le courage ni les ardeurs – mais un loin-la-loi. Trop ennuyeuse à mon goût, dénuée d'enthousiasme. Elle ne m'inspire aucun désir, ne me vivifie pas. Comment en jouir ?

L'art de se jouer de l'amour

Sacha jugeait indispensable d'épouser des comédiennes ou de transformer ses épouses en... actrices. Utile précaution à méditer ! N'ayant jamais connu ce cas de figure, je me suis contenté d'écrire des romans d'amour remplis de sachateries revisitées à ma sauce ; en guise de compensation. Dans ce tourbillon d'ouvrages suroxygénés, de jeunesse, la plupart des personnages se conduisent comme chez Guitry. Ils marivaudent, burlesquisent, soignent avec rouerie leur mise en scène du quotidien. Mais, et ce mais est de taille, je n'ai jamais eu le cran de prier ma véritable moitié de jouer notre amour pour le rectifier et en compenser les inévitables faiblesses. Aurais-je mieux désamorcé nos crises passagères ou fatales ? Peut-être bien, tant il est vrai que l'esprit de sérieux corrode tout. Aimer, n'est-ce pas aussi l'art de sidérer à la Beaumarchais, de mettre en scène le désir ? Rien de plus beau que l'étonnement. Etre surpris, le début ou plutôt le recommencement de tout !

Guitry n'envisageait pas de ne pas jouer ses attachements les plus authentiques. Sagement, il transmuait tout grand amour en comédie applaudie, sur les planches ou sur pellicule. Chaque œuvre ou presque de Sacha fut enfantée pour les yeux d'une femme (réelle ou rêvée).

Quand tout allait bien, ses femmes bénéficiaient à toute heure d'une mise en scène privée signée Guitry, noyée dans une avalanche d'offrandes, nécessairement royales et excentriques ; comme si sa seule séduction n'avait pas suffi à se faire apprécier.

Sacha pensait sincèrement que la vie de couple n'est supportable – passé les premières fringales physiques – que lorsque le théâtre prend le pas sur cette déroute inexorable. Yvonne Printemps, sa seconde épouse, une créature modelée dans le bonheur, recevait des cadeaux *à chaque heure de la matinée.* Oui, vous m'avez bien lu. Toutes les merveilles et babioleries y passaient : un déluge de fleurs accompagnées de bristols signés par des adorateurs soi-disant secrets dont le nom farfelu variait (*Prince du soleil couché, Maharadja* de pacotille), d'éclatants rangs de perles fines, des paquets livrés toutes les soixante minutes par des établissements divers et dont l'ensemble formait au final une surprise stupéfiante, des articles très grivois, des madrigaux troussés avec le sourire, des œuvres d'art, des breloques, un flot de robes de chez Jeanne Lanvin, des rubis effarants, de lourds bracelets en or sertis de pierres rares, des rivières de diamants, etc. – le tout étant assorti d'une carte fantaisiste, afin que l'humour fût toujours de la partie. Alors que moi je n'offre que de pâles présents – à peine une douzaine de fois par an, autant dire une misère – sans mise en scène éblouissante, sous l'affreux prétexte que ma seule présence suffirait à enchanter ma moitié. Marque de ma suffisance.

Quand Sacha partait avec Yvonne se reposer dans leur demeure de Cap-d'Ail, une manière de principauté, la vitesse supérieure était passée. Dès que leur Cadillac monumentale surgissait, un carrosse yankee en acier, l'intendant faisait monter au mât le drapeau blanc brodé de leurs initiales enlacées, comme dans une ambassade. Tout territoire guitrysé jouissait d'une sorte d'extraterritorialité qu'il signifiait en faisant envoyer les couleurs.

Se rendait-il au théâtre avec son épouse, à Paris, pour y représenter leur vie privée dans un texte ciselé par lui, c'était à bord de sa Cadillac immaculée, déjà maquillés, en costumes de scène. Yvonne Printemps, rutilante de bijoux offerts par Sacha, portait ses doubles rangs de perles, pavoisait en exhibant ses pierres effarantes afin qu'elle épatât en son nom. Leurs initiales étaient peintes sur chacune des portières de l'automobile américaine blanche ; Y. P. à droite, S. G. à gauche. Le chauffeur, jouant son propre rôle, était tout ouïe. Yvonne, dite le Rossignol, reprenait à l'arrière ses refrains célèbres ; notamment « J'ai deux amants » (surtout lorsqu'elle en avait bien deux...). En surgissant devant l'entrée des artistes du théâtre, la Cadillac pilait. Sacha sortait et, mimant l'élégance perfectionnée des laquais de grandes maisons, ouvrait la portière d'Yvonne emmitouflée de chinchilla, en exécutant une mise en scène grandiloquente, affinée et assaisonnée de mots piquants afin d'éblouir... une ouvreuse sidérée et la vieille caissière bossue qu'il priait de les appeler du nom de leur personnage en scène, sans omettre leur titre ! Le maquillage, leur mise impeccable, le maintien gai, le véhicule lustré, la main gantée d'Yvonne se posant sur la sienne manucurée, tout était parfait et exécuté magnifiquement.

Quand les amours de l'inénarrable Sacha prenaient l'eau, les ressources du théâtre étaient illico convoquées pour colmater les brèches… avant que les portières de la Cadillac ne soient finalement débaptisées – si le divorce devenait inévitable. En attendant le prochain couronnement ! En ce cas, le portrait de la sortante réalisé par un grand maître – celui d'Yvonne était signé Vuillard, pas mal, non ? – était empaqueté avec soin puis entreposé avec les accessoires dans le grenier de l'avenue Elisée-Reclus. Dans la foulée, Sacha changeait de théâtre pour y jouer ses pièces, comme on tourne une page. Après le départ du Rossignol, il bouda le théâtre de la Madeleine auquel il était pourtant lié par contrat ; mais la vocation des contrats lui semblait être de se faire déchirer.

Le théâtre, ce lieu étrange où toutes les vérités se disent enfin, était donc l'ultime recours contre les vrais désastres, irréparables : ceux du cœur.

Lorsque le rideau se lève le 17 décembre 1916 aux Bouffes-Parisiens pour la première représentation de *Jean de La Fontaine,* Sacha n'est guère perturbé par la bataille de Verdun qui taille en pièces les poitrines des jeunes Français. La distribution résume la crise conjugale qui secoue Sacha à cette date. Charlotte

Lysès, encore sa femme, assume (c'est le mot) le rôle de l'épouse de Jean de La Fontaine, mal marié, qu'il joue. Yvonne Printemps tient avec éclat le rôle de leur maîtresse (celle de Sacha et de La Fontaine) après avoir déjà interprété une comédie de Guitry clairement intitulée *Il faut l'avoir !...* L'essentiel était déjà annoncé par voie d'affiches sur les murs de Paris.

Sur scène, Charlotte Lysès déclare à propos de son époux : « Vous ne pouvez pas savoir ce que c'est que de vivre dans l'intimité de cet homme qui ne veut rien faire comme tout le monde ! »

Les répliques cinglent et règlent ce que le ménage Sacha-Charlotte ne parvient plus à évoquer dans le privé, sous les yeux effarés du public qui, par les gazettes, n'ignore à peu près rien des amours non officielles de Sacha. Son sens des réalités intimes, implacable, éclate dans toutes les scènes. Au milieu des meubles de l'avenue Elisée-Reclus que Sacha a bien entendu fait transporter sur la scène, afin que les planches soient la continuité exacte de son intimité, et dans des costumes qu'ils ont étrennés chez eux. Moment qui tire sa force extraordinaire du double jeu, scénique et privé. Télescopage d'émotions factices et véridiques. Charlotte Lysès tient là le rôle le plus difficile de son répertoire, et sans doute le plus poignant. En elle, l'actrice talentueuse triomphe de l'épouse blessée mais, à l'issue des représentations, elle quittera la scène scintillante de l'avenue Elisée-Reclus. Que d'autres se bousculent dans la lumière ! et place à la jeunesse explosive puisque Yvonne Printemps entre en scène !

Etape suivante en mars 1931. Puisqu'il est cocu, Sacha doit écrire une pièce qui réglera son infortune ; du moins l'espère-t-il. La crise de 29 et ses cohortes de crève-la-faim ne retiennent guère son attention. Il achève la rédaction de *Frans Hals ou l'admiration* et convoque au plus vite les interprètes dans son salon, comme à son habitude (répéter ailleurs qu'à domicile lui semblait inapproprié).

« Je serai Frans Hals, déclare-t-il aux comédiens, Pierre Fresnay sera Adrien et toi, Yvonne, tu seras la ravissante Annette, ma femme... et tu deviendras avec mon consentement la maîtresse de Pierre Fresnay, enfin du personnage d'Adrien, parce que je l'admire, parce qu'il est mon Dieu, parce qu'il ne peut faire que du bien à tout ce qu'il touche ! »

Les règles sont établies avec netteté, tout comme la situation ; justement parce que dans la vie, tout échappe cruellement à Sacha. Fresnay est déjà l'amant d'Yvonne mais la crise sentimentale qui s'ouvre reste indécise, disponible pour l'imprévu. Qu'à cela ne tienne ! Le fringant Sacha engage son vrai rival pour le ramener dans son jeu, sur sa scène affective. Assise sur le canapé (le leur) que l'on retrouvera le 28 du mois sur la scène du théâtre de la Madeleine, dans un déshabillé mousseux follement « Guitry », une bague à chaque doigt baguable, Yvonne Printemps semble lointaine, nerveuse au milieu de leur salon réel.

Texte en main, elle articule les mots de son mari trompé et donne la réplique à un personnage (son véritable amant) qui évoque la possibilité qu'elle devienne infidèle et lui lance : « Quelle est la femme, allons, qui peut répondre d'elle ? »

Yvonne réplique, sous le regard oblique de Pierre Fresnay : « Moi, je réponds de moi. »

Ses yeux clairs, chargés de vérité, se troublent. Fou de douleur, Sacha veut entendre le Rossignol dire cela et le lui fait effectivement prononcer dans le monde réel alors que nous, en pareille situation, saisis par des bouffées de jalousie, nous en sommes tous réduits à gémir sans solution ! Sans apaisement possible. Guitry, lui, s'offre la morphine d'une réplique dite par la bouche même de celle qu'il aime et qui le trahit. Sous le nez de tous. Et son opium émeut les salles... Mais pas autant que les sens du Rossignol, décidément très remuée par l'acteur Fresnay, qui s'écria un jour : « Que voulez-vous, moi j'ai un corps, même hors de scène ! »

On dirait une réplique à la Guitry... Il est vrai qu'elle avait été formée à brillante école.

Comme le corps ardent d'Yvonne Printemps ne se lasse pas de celui de l'aimable Pierre Fresnay, Sacha contre-attaque... au théâtre ! Mars 1932, il crée *Françoise.* Yvonne est à l'affiche et doit s'entendre dire par le personnage de son mari – joué par Sacha, bien entendu – face au public ahuri du théâtre de la Madeleine qui, grâce à la presse, démêlait la vérité :

« Puisque tu es partie, c'est que tu n'étais pas heureuse... et puisque je faisais tout au monde pour te rendre heureuse... c'est que je m'y prenais mal... Donc tu as une excuse... mais lui... pourquoi a-t-il fait ce qu'il a fait ? Hein ? Quand j'ai vu qu'il commençait à tourner autour de toi... car, tu sais, on voit toujours tout... on en voit plus qu'il y en a... mais ce qu'il y a on le voit toujours... eh bien, à ce moment-là, j'ai voulu être plus malin que les autres... au lieu de l'empêcher de venir à la maison... j'ai voulu en faire un ami. Comme je ne savais pas où vous en étiez tous les deux, j'ai eu peur de l'empêcher de venir... parce que je me suis dit que peut-être il était déjà trop tard et que si je l'empêchais de venir, tu irais, toi, le rejoindre. (...) Comment pourrait-on reprendre sa femme quand on ne sait pas pourquoi elle s'est éloignée de vous ? On n'ose même pas le lui demander tellement on redoute la plus terrible des réponses qui est : *je n'en sais rien moi-même...* »

On me répliquera que cette tirade déchirante ne servit à rien puisque quatre mois plus tard le Rossignol en chinchilla s'envola pour se poser à jamais dans la vie de l'acteur Fresnay ; l'homme ardent qui éjaculait divinement en elle. Peut-être bien, mais entre Sacha et elle les choses furent dites et bien dites, par les situations comme par les dialogues, alors que tant d'émotions nous restent dans la gorge, à nous autres qui ne jouons pas, nous les non-Guitry qui demeurons ensevelis dans nos non-dits.

Et qui en souffrons tant !

Quand, en 1938, tout se gâte avec Jacqueline Delubac (la suivante inventée pour qu'il n'ait pas l'air d'avoir été quitté), Sacha écrit à nouveau une pièce, *Un monde fou* – puisque chez lui tout se règle par la comédie, en créant un monde parallèle plus humain. Alors que chez eux, avenue Elisée-Reclus, la sémillante Delubac et lui ne se parlaient plus que par lettres et apostrophes. Le couple faisait naufrage mais les acteurs, eux, avaient encore l'énergie qui faisait défaut aux époux. Une fois encore, le public parisien venait assister au dénouement de sentiments réels pour le prix d'un billet de théâtre. En goûtant les répliques improvisées qui, au débotté, variaient d'un soir à l'autre quand les époux, saisis de colères véridiques, remplaçaient sous leurs yeux le duo de comédiens : « J'en ai assez. Tu n'as jamais eu de talent.

— Toi, tu en as eu… Tu n'en as plus ! »

Jacqueline et Sacha réglaient en direct leurs comptes sur les planches, apuraient leurs différends et, du même coup, se préparaient à se quitter sans rancœur, ayant épuisé leurs griefs au théâtre. Pourquoi n'avons-nous pas ce talent de vie ? de nous purger de nos ressentiments en fabriquant des œuvres d'art ?

Pour offrir un peu d'espoir au public qui avait payé sa place, Sacha s'avançait vers Jacqueline Delubac à la fin de chaque représentation, à l'avant-scène, et lui baisait la main amoureusement.

En coulisses, outrée, elle explosa un soir : « C'est ridicule ! Pourquoi se donner ainsi en spectacle ?

— Mais nous faisons partie du spectacle, lui répliqua-t-il en gardant son calme, du spectacle de la vie ! D'ailleurs ce n'est pas la main de l'épouse que je baise, c'est celle de la femme que tu aurais pu être ! Et que tu seras peut-être…

— … avec un autre !

— Excellente réplique ! Demain, elle fera partie de la pièce !

— En fait, tu as le complexe de l'épate…

— Ce qui est vexant, ce n'est pas que tu aies raison, ma chérie, c'est que tu aies trouvé ce mot juste, épatant même, avant moi… *le complexe de l'épate !* »

Les deux dernières répliques sont de mon cru ; mais il me semble que j'ai le droit de prendre cette liberté.

Lorsque l'épouse suivante paraît dans sa vie, Geneviève de Sérigny, c'est encore au jeu théâtral qu'aura recours Sacha pour lui faire admettre d'habiter à ses côtés avenue Elisée-Reclus, où il en avait aimé tant d'autres. Geneviève se montrant naturellement réticente à coucher dans le lit de ses devancières, il imagina une *mise en scène d'arrivée* qui commençait par une lettre adressée à « Geneviève de Sérigny, dans le fond de son lit ». Il s'y engageait, rien de moins, à vivre avec elle « ensemble et non côte à côte, car il semble qu'après être restés longtemps côte à côte, on se retrouve tout à coup dos à dos ». Puis, la priant de se plier à sa « nouvelle lubie de mari », il lui expédia le texte d'une scène de théâtre que Geneviève devait apprendre à l'aveugle, sans connaître ses répliques à lui, afin qu'elle pût jouer avec Sacha leur entrée triomphale avenue Elisée-Reclus, en jouissant pleinement de la surprise qu'il lui réservait.

Ignorant les dialogues de son mari, elle rappliqua le lendemain dans la demeure historique des Guitry où Geneviève joua en décor naturel… son bonheur supposé d'entrer dans ces murs rectifiés. Sacha avait en effet fait percer dans le mur séparant leurs chambres un panneau glissant formant fenêtre, comme dans un vrai décor de cinéma, pour qu'ils soient désormais « ensemble et jamais côte à côte ». Exactement ce que je n'ai jamais osé imposer à une vraie femme. Cette innovation scénique occasionna une saynette digne d'une comédie charmante. En souriant, étourdie, Geneviève avala la pilule…

Même les drames sentimentaux lui paraissaient solubles dans la comédie. Lorsqu'il divorça d'avec Yvonne Printemps, avec un inguérissable chagrin, le divorce par consentement mutuel n'existant pas à l'époque, des lettres d'injures mutuelles étaient exigées des parties pour en obtenir le prononcé. Manifestant un amour hors du commun, Sacha rédigea les siennes – une grêle d'admirables injures, ciselées à merveille ! – ainsi que celles d'Yvonne qu'il lui fit porter accompagnées d'un bristol hilarant, le cœur probablement brisé. On reconnaît nettement sa patte dans les lettres fournies par les deux parties opposées, encore disponibles dans les archives judiciaires.

Et dire que moi j'ai vécu un divorce de petit-gris qui n'alla pas sans difficultés, comme tout le monde… Très au-dessous de ma fantaisie potentielle, je vous l'assure. Pas une fois, je n'ai eu le geste guitryque qui préserve du ridicule, un mot sachatesque qui eût embelli la situation, un élan gracieux de comédie. J'en ai le cœur encore honteux.

Devant la tombe de marbre blanc de Sacha, à l'entrée du cimetière de Montmartre, je lui en ai si souvent demandé pardon... devant des cohortes de touristes hébétés qui devaient me prendre pour un aliéné. Nous avons pourtant le devoir d'agrandir l'amour en ne négligeant aucune occasion de compenser la laideur du monde.

Pour dire adieu à Yvonne Printemps, Sacha lui offrit un ultime tournage, celui du *Nouveau Testament*. Un peu comme Rossellini tourna *Amore* en hommage à la splendide Magnani qu'il délaissait pour convoler (on le comprend) avec Ingrid Bergman. On est loin de certaines vulgarités – de pensées moins que d'actes, mais n'est-ce pas pire ? – qui ne me furent, hélas, pas étrangères. Le jeu lui était indispensable pour métaboliser le réel et parfois le dénouer.

Mais aujourd'hui encore je reste perplexe et plein de questionnements. L'inquiétant Sacha fut-il la marionnette de lui-même – ce qui ferait de moi l'adorateur d'un détraqué pétri de ruses – ou l'explorateur sincère d'une autre manière d'être, entièrement tournée vers la possibilité de jouer notre condition ? L'ai-je rêvé ? A-t-il été l'un des types achevés de Français qui, dans la première moitié du XXe siècle, illustrèrent l'art de s'amuser de la vie, avec leurs qualités et leurs défauts, mais en tout cas un échantillon supérieur d'humanité ? Ou les guitryphobes ont-ils raison de voir en lui le prince du toc et des palinodies, le saint patron des fanfarons ? Ai-je tort d'accorder crédit à sa sincérité ? de ne pas me défier de son moi enflé et de sa fuite constante devant l'authenticité qui m'est si chère ?

L'art de refuser le temps

Depuis la mort de mon père, le merveilleux Pascal Jardin, je déteste le temps qui, jour après jour, m'en sépare toujours plus. La seule montre-bracelet que je tolère, c'est la sienne qui frotte mon poignet depuis trente-deux ans. Autant dire hier. Mon cœur ne croit pas à l'écoulement des secondes. Quoi qu'on dise, les années ont tort d'amoindrir par degrés la suprême beauté de ma femme et de faire de moi, bientôt, un vieux bonhomme. Décidément, je tiens en petite estime les sabliers.

Sous ce rapport-là, Sacha parvint à réussir totalement son évasion du réel alors que nous sommes tous, nous les non-Guitry, astreints à en subir l'amère chronologie. La chance de Sacha fut d'écrire, de jouer et de mettre en scène : possédant à la perfection ces trois maladies, il put refuser absolument les affronts du temps comme ses menus désagréments. Son existence, on l'a vu, ne comportait aucun *temps mort*, exclusivement des *temps vivants* – quel tempo maîtrisé ! – alors que la mienne, souvent, se révèle mal agencée, traînarde même.

Le temps présent n'intéressa jamais Sacha, passionnément inactuel avec l'espoir d'être éternel. A peine affecta-t-il ses préoccupations artistico-affectives. Le 3 mars 1918, la guerre ravage l'Europe, l'Allemagne et la Russie de Lénine s'allient en signant une paix séparée, laissant seules la France et la Grande-Bretagne face à ces deux puissances hargneuses. L'heure est alarmante ; mais Sacha, comme à son habitude, ne lit dans la presse que les critiques théâtrales et ne retient qu'un seul événement sismique, colossal : son père a réservé une loge pour la représentation de son *Deburau* dans quatre jours. *Papa* va venir voir la pièce qu'il a écrite pour favoriser leurs retrouvailles ! Ce désintérêt profond pour l'éphémère de l'actualité ou le babil des faits-diversiers ne le quittera jamais ; étant entendu que pour Sacha la seule chose vraiment grave c'était la scène, la réécriture intemporelle de la vie, et surtout de la sienne. Sut-il que la guerre d'Espagne fut menée contre un gouvernement élu régulièrement ou même qu'elle eut lieu ? Fut-il au courant que certains de ses amis se battirent contre

Franco aux côtés des républicains ou lut-il avec anxiété le *Retour de l'URSS* de Gide, ou les premiers reportages éloquents sur l'Allemagne hitlérienne ? Sûrement pas ! Indifférence difficilement admissible ? Doit-on lui faire grief d'avoir perdu à ce point le sens du monde extérieur ? Sans nul doute. Mais n'est-ce pas plutôt une sagesse de s'être épargné ce genre de lecture et de n'avoir guère cru aux apparences mobiles de l'Histoire ? Et d'avoir toujours été convaincu que le brouet de l'actualité donne des rides à une pièce, que le théâtre digne de ce nom doit se tenir hors du siècle ? Telle bataille de Louis XIV est-elle plus importante que la création du *Misanthrope* de Molière ? La chute du cabinet Daladier (Dala qui ?) vaut-elle un quart de toile de Picasso ou même une brève esquisse de Cocteau ? Pour ce qui est des flétrissures que le temps impose aux femmes, Sacha trouva une solution tout à fait contestable mais relativement efficace : la sienne fut éternellement jeune ! Cependant, tout surgissement imprévu du réel le laissait absolument décontenancé, sans riposte. Un jour qu'il sortait de l'hôtel Raphaël, le palace parisien, au bras d'Yvonne Printemps, il croisa, venant en sens inverse sur le trottoir, une dame d'aspect assez âgé, plutôt de belle tenue et dont le visage se trouvait dissimulé par une voilette.

Elle s'arrêta devant Guitry. « Sacha... », murmura-t-elle d'une voix tremblante.

Il la scruta interrogativement tandis qu'Yvonne s'écartait un peu, flairant un incident.

« Sacha, tu ne me reconnais pas ? Sacha... »

Tandis que la vieillarde soulevait sa voilette sombre, Sacha lâcha un « Oh ! » d'effroi, qui signifiait très clairement *non, ce n'est pas possible !* C'était Charlotte Lysès, sa première femme, qui pleura doucement en se félicitant de leur rencontre fortuite, inespérée, en fait longtemps espérée. Carambolage terrible avec l'électricité des jours anciens, avec ce temps que Sacha fuyait résolument.

« Maintenant, je peux mourir tranquille, je t'ai revu... J'ai eu la joie de te parler ! » finit par lâcher Charlotte avec émotion, avant d'ajouter en fixant la belle Yvonne : « Je vois que le Printemps, Sacha, est là, à tes côtés. Il te va bien, décidément... C'est même la saison qui te va le mieux ! »

Un long regard termina cette résurrection de leur jeunesse et, brusquement, Charlotte Lysès leur tourna le dos, pour repartir, dévastée d'émotion, par le même chemin d'où elle était venue. Guitry resta de longues secondes pétrifié par la pensée qu'il avait été le mari de cette vieille dame altière ; puis, pour ne pas succomber à la mélancolie, il proposa à Yvonne... de filer au cinéma !

Sa plus belle bataille contre le temps, il la remporta contre la disparition de Lucien, son cher papa. Episode qui, on le comprendra, me parle avec une intensité toute particulière. Tous deux, Sacha et moi, sommes orphelins d'un père d'exception. Tous deux nous avons emprunté leur métier et le nom splendide qu'ils s'étaient fabriqué. Par le jeu – théâtral, cinématographique mais aussi privé – mon frère Sacha sut déjouer ce coup âpre du destin, et apprivoiser son adversaire le plus coriace : la mort.

Lucien Guitry décède en 1925.

L'événement laisse Sacha sans vie, plongé dans une tristesse affreuse. Pendant leurs treize années de brouille (Sacha lui avait emprunté Charlotte Lysès), il avait imité Lucien parce qu'il ne pouvait pas se passer de sa présence. En se regardant dans le miroir de sa loge, grimé en Lucien, le fils continuait à fréquenter le père. Et lorsqu'il créa *Mon père avait raison,* c'est en songeant bien évidemment à son papa, d'autant plus aimé qu'il se l'était incorporé en imagination par ses écrits ; seule manière pour Sacha d'aimer vraiment. Comme il le dira un jour à son *adorable père* : « Pendant dix ans, j'ai continué à écrire pour toi. Ainsi on s'est souvent demandé pour quelles raisons à vingt ans je me faisais des rôles de quarante ou de cinquante ans. Je ne me les faisais pas, mon père, et de 1905 à 1918 je t'ai doublé dans tous ces rôles, me blanchissant les tempes pour essayer de te ressembler. »

Cas unique d'imitation d'un créateur par un autre qui lui ressemble à s'y méprendre. Cette déclaration limpide de Guitry m'est allée droit au ventre et m'atteint à chaque fois que je la relis. Pendant les dix premières années de ma vie d'auteur, j'ai moi aussi dépensé une passion extrême à ressusciter par écrit mon père. Absence incomblable. Pas un livre où, sous couvert de roman, je n'aie imaginé mon *adorable père* dans les scènes que je triturais, rapetassais, brossais. Il me fallait de toute urgence le faire reluire, le ramener sans cesse à la vie, continuer à le rendre charmant. Comme Sacha, je pense fermement que l'imagination est ce qui tend à devenir réel ; alors je ne cessais pas de griffonner, de publier, d'imaginer le Zubial sous de faux noms (« le Zèbre », etc.), comme si ce que je me figurais stylo en main appartenait, par avance, à une réalité qui allait surgir sous peu. Comme Sacha, je n'ai survécu à ce drame absolu – la rupture d'un lien vital, fusionnel – qu'en continuant à faire vivre le personnage éblouissant de mon papa grâce à ma plume.

Mais c'est surtout le dispositif que l'impossible Sacha osa mettre en place après la mort de Lucien qui m'enflamma littéralement et dont je veux ici parler. Sa méthode toute sachatesque – destinée à refuser obstinément la mort – restera, à n'en pas douter, dans les annales de l'humanité comme un cas d'école, une performance de haute voltige psychologique.

Dans la foulée de l'enterrement, Sacha devient littéralement Lucien, ou plutôt son double. Guitry fils ne met plus que les vestons de Guitry père, sa robe de chambre, ses chaussons, ses lunettes ; au grand dam de son épouse du moment, Jacqueline Delubac, qui supporte assez mal l'effarante métamorphose. Sacha s'installe même *chez papa,* avenue Elisée-Reclus, dans sa maison, épicentre de leurs souvenirs communs, et perfectionne chaque jour une ressemblance qui laisse sans voix l'entourage. En haut de l'escalier monumental, il prend illico la pose impressionnante du père. Sacha continue bien évidemment à écrire des rôles pour Lucien, comme si de rien n'était, *qu'il joue lui-même* en le remplaçant sur les planches. Puis il se met à adapter au cinéma ses propres pièces jouées autrefois par son père en… se déguisant en Lucien. Mêmes postiches conservés, mêmes tenues qui contiennent leurs corps désormais semblables, même élocution étrange. Son film *Pasteur* est sous ce rapport d'une extravagance totale : sur l'écran, on croit voir Lucien en personne alors que c'est Sacha qui joue en se donnant la réplique à lui-même grâce à un trucage !

La mystification est parfaite. Toutes les fois que Sacha visionnait les rushes, juste après le tournage, il pleurait à chaudes larmes en oubliant totalement que sur l'écran c'est bien lui qui vibre, pas le mort !

Un soir, au sortir d'un plateau qui s'était révélé mouvementé (mouvements sociaux divers), Sacha ne se démaquilla pas pour rentrer chez lui à bord de sa Cadillac blanche, en compagnie de la baronne de Choisel, sa secrétaire guitrisée. Elle écrivit plus tard : « Sacha était près de moi dans la voiture et ne disait pas un mot. Il ne me voyait pas. Je le regardais. Il avait le front barré, le lorgnon bien ajusté, le sourire à peine naissant, la barbe bien peignée. J'eus alors l'impression très nette que Pasteur me raccompagnait chez moi. Je ne fais pas de sentimentalité à bon marché quand j'écris que ce soir-là les larmes me montèrent aux yeux. Sacha, c'était Pasteur. » Fernande Choisel, pourtant fine, se trompe ; ou alors elle feint d'ignorer ce qu'elle sait, par tendresse pour son ancien patron, pour protéger son cœur blessé. Sacha, ce soir-là, n'était pas Pasteur, il était *son père maquillé en Pasteur.* Le fantôme de Lucien. Un fils inconsolable se mystifiant lui-même.

Lorsque Sacha tourna *Mon père avait raison* dans les studios d'Epinay, Sacha interpréta les deux rôles naguère tenus au théâtre par

Lucien : son père jeune et son père dans sa maturité. Il a même déclaré par la suite : « J'avais dans l'oreille toutes les inflexions de la voix de mon père et *lorsque je parlais il me semblait l'entendre...* »

Phrase inouïe ! Pour entendre son père, il parle... Soit exactement ce que j'ai longtemps fait après la mort du Zubial. Quand j'étais seul dans quelque endroit isolé, adolescent, je reproduisais les intonations gaiement désespérées de Pascal pour l'entendre à nouveau, tant sa présence me manquait. Moi aussi je parlais pour l'entendre. Je suis même allé jusqu'à enregistrer ma propre voix jouant la sienne sur le petit enregistreur dont je disposais, par peur d'oublier sa diction, ses expressions, ses sifflotements pour appeler nos chiens. Et quand je m'écoutais, je vous l'assure, je l'entendais *réellement*. Mais je n'ai jamais osé faire cela en public, comme Sacha. J'eus besoin, misérablement, du masque du roman pour continuer à faire se mouvoir le Zubial et qu'il me fasse encore rire. Les scènes burlesques que j'ai pu écrire furent si souvent motivées par ce désir fou, irrépressible : papa, fais-moi toujours rire ! Comme Sacha, j'eus le chagrin souriant et le désespoir inventif. Avec ce qu'il faut d'entrain – notre seule bouée de sauvetage – pour survivre à la pire des solitudes.

Comment peut-on être Guitry?

La question du *moi fictif* et de l'*autocréation* me tourmente car, moi aussi, je me suis mis en scène sans pudeur exagérée dans mes livres et dans quelques-uns de mes films; à visage découvert ou de manière plus dissimulée. Narcissisme maladif qui confine au grotesque? Orgueil sachatesque, donc démesuré et voisin du ridicule? En me dépouillant de ce qui me reste d'intimité, n'ai-je pas participé, comme lui, à une fièvre de soi qui nie la réalité des autres? La critique est peut-être fondée pour moi – j'accepte d'avance d'être l'objet d'exécutions sommaires – mais certainement pas pour Sacha!

Jean-Laurent Cochet – immense guitryphile qui a bien mérité de la comédie tricolore – a eu sur le sujet un mot définitif: « L'égoïsme de Guitry n'est pas la passion désordonnée de soi mais la conscience aiguë qu'il avait de sa singularité, partant de sa solitude. » Cette prétendue *passion désordonnée de soi* – dont on l'a tant accusé – ne l'a pas empêché de vivre d'admirations véhémentes. Il n'est que d'égrener la liste ahurissante de ses acteurs pour comprendre combien Sacha eut la passion du génie des autres: l'invraisemblable Popesco, Louis de

Funès en ses commencements, Michel Serrault déjà phénoménal, Orson Welles, Michel Simon lui-même, Darry Cowl à son zénith de loufoquerie, Arletty, von Stroheim, Gabin, Jean Cocteau, Edith Piaf, Gérard Philipe dans tout son éclat... Hélas, les poètes Depardieu, Podalydès et Fabrice Luchini lui auront échappé.

Au-delà des jugements moraux pour écoliers – sans guère d'intérêt au regard des horizons qu'ouvre la manière d'être de Guitry fils –, ce phénomène de création de soi m'intéresse pour nous tous. Pouvons-nous à notre tour, dans son sillage, naître de nous-mêmes, en vertu d'un libre arbitre merveilleux ? Et devenir, comme Sacha s'y employa, un *born-myself* ? Après des années de lutte, je commence à m'aventurer dans ce toboggan très glissant, en cavalant derrière ma liberté nouvelle ; et en ne craignant plus d'incorporer les autres – sauf ma femme et mes enfants, bien réels eux – à ma vie imaginaire. Décidément, tout ce que je vis s'accorde à ce diable d'homme !

Et puis, disons-le, n'est-il pas jouissif d'essayer, vaille que vaille, de se tenir toujours au plus haut de soi ? A des années-lumière des artistes en slip moite et des guitryphobes qui ondoient encore dans Paris, *sans tenue* ! Allons, je me rétracte. Inutile d'être griffant... quand il n'est question, ici, que d'amour pour l'un des rares êtres humains qui fut mis au monde pour confondre absolument théâtre et réalité, à toute heure du jour et de la nuit. Sa conception de la répétition d'une pièce en témoigne nettement.

Une « répétition » selon Guitry, qu'était-ce au juste ? Une expérience hallucinante, démentiellement française. Le moment magique où la fiction et le monde banal se suturaient. Une manière d'intégrer, par degrés, la comédie bouffonne dans la vie souvent terne des comédiens ; en aucun cas un exercice de dégagement ou d'annulation brusque de leur réalité. Rien à voir avec la convention absurde qui veut que l'univers de la pièce ou du film surgisse brusquement *à côté* de la vie courante. Ce qui supposait que cette dernière fût rehaussée d'imagination et chamarrée de fantaisie. A l'heure dite, le dernier homme courtois du XXe siècle recevait ses comédiens chez lui, avenue Elisée-Reclus – et même les importuns, au motif qu'il ne pouvait tout de même pas faire attendre *le premier venu* ! –, dans une ambiance d'aimable détente. Un maître d'hôtel (parfois déguisé) les recevait, prenait leur manteau. Un aboyeur criait leur nom, comme dans un palais orné de toiles impressionnistes. Il entamait alors la conversation sur un sujet quelconque, leur servait du champagne, des gâteaux fins. Le tout dans la vaisselle d'or de Sarah Bernhardt. Soudain, et sans avertissement, il enchaînait sur une réplique de la pièce en répétition et ce procédé subtil donnait aux acteurs décontenancés un naturel prodigieux, *mieux que vrai*. Puis il reprenait l'anecdote piquante qu'il racontait, s'esclaffait, faisait rire, agissait en fascinateur et, tout à coup, lançait : « Maintenant, si vous le voulez bien, mettez-vous à gauche et continuons le texte... Tout à l'heure, vous passerez à droite... J'espère que vous me ferez la grâce de prononcer les quelques mots que j'ai prêtés à ce personnage... »

Sacha poursuit ensuite avec une anecdote impromptue, un souvenir brillant, avant de revenir insensiblement, sans brusquer personne, dans la trame de la pièce qui se mêle à la réception que ce grand seigneur du théâtre donne en son salon privé, dans les meubles que, plus tard, il fera disposer sur scène. Sans oublier la toile de Fantin-Latour accrochée sur son mur qui sera du plus bel effet dans le décor en construction. Tout est fait pour que la jointure entre le réel et sa pièce devienne invisible à l'œil nu. Puis, lorsque la comédie du moment se sera transportée dans le vrai théâtre – mais est-il plus vrai que l'avenue Elisée-Reclus ? –, la conversation intime se poursuivra sur scène. Sacha servira alors, devant le public, le même champagne que celui dégusté à son domicile.

Ses tournages étaient également égayés d'interruptions charmantes, d'agapes raffinées et interminables où l'on buvait force champagne – au grand désespoir de ses producteurs qui voyaient l'heure tourner. Il lui paraissait impossible d'amuser une future salle sans prendre soi-même un vif plaisir et, surtout, d'être authentique s'il négligeait de bien vivre.

Ses femmes sont devenues folles de ce système, de l'interpénétration constante – d'aucuns diraient un peu névrotique – des univers qui se superposaient avenue Elisée-Reclus.

Yvonne Printemps dira : « On radotait le texte en changeant parfois une intonation. Comment avoir une conversation avec Sacha ? Entre lui et moi, il y avait ses pièces, le rôle, qu'il fallait indéfiniment répéter, entendre si on disait "encore une goutte de thé *mon amour*"... ou "*encore* une goutte de thé mon amour ?". Quel mot intensifier ou murmurer, ou alléger ? La moindre intonation comptait, on n'était jamais en tête à tête. On était trois ! Entre nous, il y avait toujours le texte. »

Aux aguets, craignant sans cesse l'imperfection, une diminution de séduction, Yvonne lui demandait si elle devait s'asseoir comme ceci ou comme cela au beau milieu de leur salon. Elle se dirigeait vers un fauteuil (déjà vu en scène), croisait ses superbes jambes nacrées. Sacha lui faisait alors poser la droite sur le dessus, puis le contraire. Tout ce que, moi, je n'ai jamais osé réclamer à ma moitié : faire de la vie une vaste répétition, et gommer par degrés, à force d'exigence, l'espace consternant qui nous sépare d'une fiction cinématographique !

Pourquoi diable la vie serait-elle amère et inférieure à ce que nous recherchons dans les films réussis ? Qui a dit que les femmes se devaient d'arborer un port de tête moins éblouissant que celui d'Ingrid Bergman dans *Casablanca* ? Ou que les hommes ont le droit d'être moins séduisants au petit matin que Gary Cooper ? D'où vient l'étrange passion de mes contemporains pour un effroyable laisser-aller – j'abomine la *coolitude* ! – qui tue l'amour et fragilise tant le désir ? Décontraction à laquelle, je l'avoue, je condescends parfois, hélas, dans le climat très adolescenteux qui m'entoure...

On comprend qu'un tel homme ait été à son aise avec les fous furieux qui, d'emblée, évoluaient loin des eaux plates de la normalité. Michel Simon se sentait-il un soir très veuf du décès de sa guenon Zaza ? Tendre chimpanzé, personne rare et sensible (supérieure selon lui) qu'il avait aimée comme aucune femme et qui se suicida, après des jours et des jours d'anorexie, en buvant sa propre urine parce que son maître avait cessé de lui tenir compagnie pour aller tourner un film à Nice. En homme de cœur et de tact, Sacha lui fit aussitôt porter – au théâtre où Michel Simon jouait une opérette – une photographie de Lucien Guitry tenant dans ses bras une guenon, avec cette inscription touchante : *Voici un souvenir de mon père, que vous aimiez, et d'une petite guenon que vous auriez sans doute aimée.* Totalement bouleversé par *un tel acte de reconnaissance, venu si rapidement,* dira plus tard Michel Simon, le génial comédien zoophile lui en saura gré pendant son interminable veuvage qui, des années durant, lui arracha des larmes. Certaines altitudes sentimentales ne se peuvent comprendre par les gens ordinaires que nous sommes…

Lorsque notre merveilleux auteur joua *Toâ* après guerre, une manière de pièce-bilan qu'il adapta aussitôt pour le cinéma, il n'hésita pas à poser sur son cas (via le personnage de Michel, un dramaturge qui écrit une pièce sur sa rupture) et sur son théâtre un regarda aigu et sévère. D'avance, Sacha se permet – en ouverture de spectacle – de répondre avec superbe aux critiques vachards qui l'appelaient « Monsieur Moâ » : « Pauvres sots qui me reprochez ma façon de dire *moi* ! Si vous étiez de mes intimes, vous sauriez comment je dis *toi…* »

En inventant son double en crise (le fameux Michel) en 1949, Guitry prend alors, et en public, un sidérant recul sur lui-même et sur son œuvre. Fulgurant, ce Beaumarchais moderne dresse un bilan complexe ; comme si les années d'occupation allemande, les suspicions de collaboration et l'expérience amère de la prison avaient fait prendre à ce rebelle fourvoyé du recul. Il s'analyse sèchement, se scrute, décrypte ce qui sous-tend son étrange travail. Changé par ses erreurs, très marqué, à ses yeux et aussi, il le devine, aux yeux du grand public qui lui en veut, il sait qu'il a atteint l'heure de vérité. Sacha ne peut plus se défiler, continuer à se présenter comme une simple bulle de frivolité. Cette pièce géniale est au final un questionnement abrupt sur ce qu'il offre de lui dans les replis de son œuvre multiforme : peut-on jouer avec sa propre intimité ? Jusqu'à quel point a-t-on le droit de s'exploiter soi-même sans vergogne ? Quand débute l'impudeur véritable ? Quelle est la frontière exacte entre l'homme sans maquillage et le comédien grimé ? La scène a-t-elle vocation à être l'endroit même du privé ? Soudain, le maître ès légèreté se dévoile et se pose franchement la question qui me taraude : *comment peut-on être Guitry ?* L'animal apparaît alors, dans toute sa force, comme un Cioran de bonne humeur, un désespéré drogué de rire.

En voyant ce film stupéfiant, *Toâ,* je me suis demandé : son parti pris de légèreté confine-t-il à la monstruosité assumée ou au génie pur ? Mais cet homme qui ne parvient pas à vivre sa vie, n'est-ce pas moi ? ou plutôt nous tous qui nous égarons dans des esquisses de destins qui ne nous ressemblent guère ? nous tous qui restons placidement, sans grand courage, les spectateurs de notre vieillissement ? Lui ose se redresser en endossant son *personnage*, le visage de jeunesse qu'il s'est choisi. Lui, le fils de Lucien, a le culot de ne pas mourir avant la mort et de s'opposer résolument à la grande faucheuse. Lui et son personnage tentent désespérément de se frayer un passage vers le vivant de la vie.

Alors, c'est certain, je me faufilerai moi aussi, dans les années à venir, vers une tout autre manière d'être, probablement plus *guitryque*.

Mais aurai-je, moi aussi, le courage de renverser les tables de la loi des arts que j'essaie péniblement de pratiquer ? En m'efforçant d'approfondir les ressources de leur langage. Ceux qui tentent ces aventures le paient toujours un peu. J'ai le souvenir cuisant d'avoir publié en 2003 *le même jour*, j'y tenais, une version adulte et une version jeunesse de mes *Coloriés* – deux romans inversés qui regardent l'enfance comme une culture à part entière en rébellion contre celle des adultes, et non comme un âge provisoire – de manière à rendre le projet globalement cohérent. La version adulte fut, sur le moment… un échec noir en librairie. Sacha le sut mieux que personne et la critique ne fut jamais avare de commentaires pour le rappeler à l'ordre. Ainsi va la police des arts…

On le sait peu mais Guitry reste, tout autant qu'un animal de théâtre, l'un des plus grands inventeurs du langage cinématographique. Inapte au suivisme, ce zèbre ne pouvait pas toucher à quelque chose sans en redéfinir les règles du jeu ! S'approprier les codes d'un genre, les transgresser avec profit et les plier gaiement à son propre style lui était aussi naturel que de digérer ses repas ou de peindre du soleil sur les vitres de l'avenue Elisée-Reclus quand le temps était maussade.

Orson Welles et François Truffaut eurent pour son œuvre filmée, assurément de rupture, la plus fiévreuse admiration. Très vite, des gens des *Cahiers du Cinéma* leur emboîtèrent le pas, notamment le très pénétrant Noël Simsolo, critique inspiré qui m'apprit à mieux décrypter ce que je voyais des films de Sacha ; des œuvres souvent en trompe l'œil pour les novices comme moi. Welles et Truffaut... Deux ignares en matière de pellicule et deux simples d'esprit qui, comme chacun sait, ont démérité du septième art.

L'art de réinventer l'art cinématographique

Octobre 2012. Je publie avec jubilation un roman bizarre intitulé *Joyeux Noël*. Ce volume est inspiré d'un fait réel que je détaille en préambule avant d'entraîner mon lecteur dans un roman authentique dont les fils deviennent peu à peu si inextricables que j'apparais à la fin, moi Alexandre Jardin, pour résoudre l'intrigue. En rabrouant mes personnages ! En guise d'épilogue, je m'applique les principes de vie de mon héroïne qui, dans le roman, écrit son journal intime en partie double : sur les pages de droite elle consigne les faits de ses journées, et sur les pages de gauche sa vérité sans angle mort. A droite le personnage social, à gauche l'être nu ; si nu que j'apparais à mon tour, dans cette manière de postface en partie double, dénudé comme un ver sur une photographie (au grand dam de ma femme) et que j'y publie à mes risques ma véritable feuille d'impôt. L'angle mort français par excellence ! La vérité rattrape ma fiction, ce qui me permet de prouver, par ce livre, que l'on peut vivre… *comme dans mon roman.*

A peine cet ouvrage – ou plutôt cette tricherie avec la littérature qui ne croit qu'aux mots – fut-il imprimé que je portai le premier exemplaire de *Joyeux Noël* au cimetière de Montmartre… sur la tombe de Sacha, pour qu'il dorme en paix. Je voulais qu'il sache, lui le fils de Lucien, qu'il a bien une descendance, une famille de cœur (et peut-être de sang, qui sait !) pour tâcher de le continuer, même avec maladresse. Sa manière d'être ne s'est pas éteinte dans Paris. Sous la couverture, j'ai inscrit :

> *Pour Sacha,*
> *car on ne peut être que pour toi.*
> *Familialement,*
> *Alexandre (non Guitry ?)*

La gorge serrée, j'ai abandonné sur le marbre blanc ce premier exemplaire en songeant à l'Arquebuse, la jeune femme ardente qu'il connut naguère. *Joyeux Noël,* par son épilogue étrange qui mélange fiction et réalité, est directement inspiré de son film virevoltant *Ils étaient neuf célibataires.* Un long-métrage qui, lui aussi, met en crise le support qu'il utilise en refusant ses carences.

A la fin de cette fable filmée, pour résoudre une intrigue devenue presque indémêlable, le personnage de Sacha rappelle soudain aux autres comédiens – face caméra – qu'il est bien Sacha Guitry, auteur du film, et qu'ils sont en train de répéter un long-métrage qu'ils vont bientôt tourner ! Moment de grâce, hautement guitryque, où Sacha met en pleine lumière l'artificialité du cinéma. Instant qui, la première fois que je l'ai vu, m'a laissé si pantois que j'ai dû le revisionner plusieurs fois pour ne pas avoir l'impression d'avoir la berlue. Tout s'achève dans une esclafferie sentimentale, une agitation syncopée, un coup de théâtre imparable. Comme si tout cela n'avait existé que pour démontrer qu'au cinéma, le hasard se règle lui-même et qu'à la différence de la vraie vie, tout y est autorisé puisque l'escroquerie intelligente, de haut vol, devient l'art même du récit. On a même le devoir de tricher, d'envoyer valdinguer les règles du jeu ! Pour comble d'ironie, le lendemain de la première de cette comédie subversive, la Seconde Guerre mondiale commençait à rebattre les cartes du réel. Et le film fut, tout naturellement, descendu par la critique. Jusqu'à ce qu'un certain Truffaut, lui aussi tracassé par les combinatoires affolantes de la fiction et du réel, lui aussi créateur de son double cinématographique, le réhabilite enfin en lui trouvant bien du charme et de l'inattendu.

Dès son premier film, en 1935 – l'année de la fièvre du cinéma pour Guitry fils –, Louis Pasteur joué par Sacha Guitry déclare plein cadre à ses confrères : « Messieurs, je sais que je n'utilise pas le style conventionnel auquel vous êtes habitués. »

Phrase programmatique qui semble adressée aux critiques qui le mordillent ou l'agressent depuis qu'il repense le théâtre. Tout de suite, attentif à ses prises de vue imparables, il se laisse aller à sa fureur de la mystification.

Au passage, Sacha résout avec une réjouissante virtuosité l'art presque insoluble de montrer la parole dans une image mobile.

Sa boulimie de cinéma est lancée ; en affectant de s'en désintéresser, naturellement. Mais tout de suite la qualité est là, souveraine. Il pense en images *avant tout* ; et quelle façon époustouflante et ingénieuse de diviser le monde en rectangles animés ! Ce qui laissera furibards les professionnels qui, agacés par le trublion, espéraient un naufrage retentissant.

Un an plus tard, Guitry réalise un coup de génie... *Le Roman d'un tricheur,* peut-être son chef-d'œuvre. Dans ce film de rupture d'un genre encore inédit, quasi sans dialogues, Sacha se sacre narrateur : il crée la voix off, impose la logique du commentaire qui devient le personnage central et vole la vedette. Trouvaille magistrale, intimement liée à la manière d'être de Sacha-le-bavard ! Nombre de journalistes hurlent au retour subreptice du cinéma muet mais à la vérité Sacha a pour la première fois l'idée audacieuse de disjoindre l'action visible et la voix qu'il exploite comme second degré permanent de l'image rectangulaire. La parole crée les tableaux dans un décalage déroutant. Les acteurs se la bouclent à l'écran mais une voix immanente, jamais utilisée de cette manière dans les salles obscures, raconte toute leur histoire et... montre l'invisible avec ironie !

Culotté et jongleur, Sacha tente des raccourcis très neufs, passe sans transition d'un fait à ses conséquences poilantes (les champignons et la famille morte). Une nouvelle grammaire naît, faite de fragments accolés. Toutes les possibilités de *triche* amusante (trucage) sont explorées ; ce qui est bien naturel puisqu'il est dans ce film question de jouissance par la tricherie ! Le tout étant lancé par un générique aux allures de documentaire ou de making-of (ce qui restera sa spécialité). De surcroît, si le récit se présente sous des apparences de récréation rigolote, c'est en réalité une déclaration d'amour au cinématographe parlant, un éloge intrépide de cet art de l'illusion inventé pour les manipulateurs et la cohorte des déçus du réel.

Mais ce film est beaucoup plus qu'un film à mes yeux : c'est une proposition de conduite ambitieuse, une invitation à créer sans aucun garde-fou. La plupart des longs-métrages qu'il osa ultérieurement montrent cette même imprudence folâtre et rieuse par rapport aux molles conventions. A chaque fois, Sacha sachatise radicalement ce qu'il fabrique, en se moquant bien de la triste mine des censeurs. Il crée non pas un chapelet de films mais une certaine idée de Sacha qui prend l'aspect de films de cinéma.

Voilà pourquoi cet homme dépasse son art en le magnifiant. Il nous propose d'utiliser notre métier pour sculpter et approfondir notre être. Rien de moins.

Ce à quoi il s'appliqua scrupuleusement.

En réalisant *Le Comédien*, en hommage à son père, sa passion de la mystification se déchaîne à nouveau. Dans une scène sidérante, il montre Sacha et Lucien, c'est-à-dire deux fois Sacha (grâce à un trucage, il joue Lucien sur le même plan), qui reçoivent un journaliste dans une loge. Ce dernier s'ébahit devant la capacité de Lucien à ressusciter le vrai Pasteur dont le portrait est accroché au-dessus de la table de maquillage. Lucien (le faux) explique alors que ce cliché n'est pas celui de Pasteur mais une photographie de lui dans le rôle de Pasteur : la référence dont il use comme d'un modèle. Le film devient alors un hommage drolatique au génie de Lucien, un discours vertigineux sur la vérité (« Le double c'est moi-même, dit Lucien joué par lui, et le comédien c'est l'initial »), une recherche sur les vrais trompe-l'œil ainsi qu'une série hallucinante de démystifications.

Lorsqu'il tourne ensuite l'étourdissant *Faisons un rêve*, Sacha caresse le désir de ne réaliser qu'un plan par acte pour soumettre la technique aux acteurs ; or cela n'est pas encore possible en raison de la nécessité de recharger la caméra, une fois épuisé le magasin de pellicule. Aussi astucieux qu'Hitchcock lorsqu'il réalisa *The Rope* – le film qui semble un plan unique grâce à des ruses de montage –, Sacha recourt à une autre méthode dont il fait un usage subtil pour booster le récit. Dès que la bobine arrive à son terme en suivant l'acteur, il opère un long plan de coupe (de la durée d'une nouvelle bobine) qui relance littéralement le rythme du film ; comme le fait observer finement Simsolo. La vitesse de jeu est maintenue. La manipulation est d'autant plus efficace qu'on ne la remarque pas.

Au film suivant, ce cinéaste-né explorera d'autres inventions, d'autres manières de déjouer le cinématographe afin d'éviter une sclérose par la systématisation des procédés qu'il a déjà déflorés. *Les Perles de la couronne* permettent à des acteurs étrangers de jouer dans leur langue maternelle sans être doublés. Son idée universaliste de la France trouve là une application concrète et jubilatoire ; avec lui le cinéma tricolore englobe les autres langues ! Il en est le conteur bien entendu mais comme il ne souffre pas de recycler une technique narrative – ce ne serait plus du jeu mais du gâtisme –, il ajoute un conteur anglais ainsi qu'un italien ; deux autres voix dont les questionnements répondent à la sienne. Au final, les masques sont arrachés : Sacha déclare qu'il se voyait bien en François Ier et qu'après tout il aurait eu bien tort de se gêner. Au passage, Guitry fonde le principe du fameux film en train de se faire ! Ce pur fantasme de la Nouvelle Vague !

Quand vient la saison de ses fresques monumentales destinées à montrer que l'Histoire de France n'est qu'un jeu (*Remontons les Champs-Elysées,* etc.), l'animal inaugure le cinéma historique imaginaire – qui fera grincer quelques universitaires rancis – en appliquant un principe très sachatesque dont il s'est expliqué avec malice : « Je prétends que ce n'est pas mentir que d'affirmer effrontément des vraisemblances irréfutables. Oui, je revendique le droit absolu de supposer des incidents restés discrets et de conter des aventures dont je n'ai pas trouvé la preuve du contraire. » Bigre !

C'est ainsi que Sacha ne cessera jamais de faire son cinéma, avec une fécondité et une liberté qui m'auraient sans doute échappé si l'effervescent critique Simsolo ne m'avait pas ouvert les mirettes. Je dois à sa perspicacité une bonne part de ma jouissance à décrypter l'image guitryque.

Sans répit, ce joueur invétéré se conteste, démonte son art et le repropose dans une version inédite. Sacha ambitionne en vérité de se glisser dans la peau d'un Guitry pluriel, un être qui n'*est* pas mais qui *devient* sans cesse. Avec drôlerie, bien entendu. Voilà pourquoi l'Arquebuse m'a tôt jeté dans les pattes de ce grand vivant qui sut toujours *se refaire.* Sans doute souhaitait-elle que je m'en imprègne, qu'il me vaccine contre l'habitude déplorable qu'ont les hommes de n'être qu'une seule fois eux-mêmes.

Mais... il y a un *mais*. Un sinistre *mais*.

Peut-on tout jouer?

Hélas, la vie ne ressemble pas tout à fait au monde selon Guitry.

Lorsque le 18 juin 1940 survient, Sacha n'allume pas la radio anglaise; même si elle parle français.

Piégé par son étrangeté, Guitry croit encore que par la fantaisie pirouettante toutes les esquives restent possibles. L'ordre nazi impose-t-il le couvre-feu qui interdit les représentations théâtrales en soirée, Sacha lance non sans humour le théâtre de... 18 h 45, en affirmant haut et fort la nécessité de maintenir une culture française vivace face à la croix gammée. Sacha refuse qu'*on lui mette un uniforme et qu'elle marche au pas*, comme il le dit partout, ravi de son mot. Pas question que son jeu cesse. *The show must go on!*

Croyant bien faire, en personnage considérable qu'il est sur la place de Paris, il fréquente des officiers allemands pour plaider la cause de comédiens en délicatesse avec le nazisme, parfois un peu juifs. Il obtiendra même la libération de Tristan Bernard qui, comme lui, se protégeait efficacement du réel par le rire. Nullement antisémite, épargné par cette maladie mentale en vogue (ce qui est suffisamment rare dans son milieu pour le noter), Sacha plaide en faveur d'autres prisonniers de renom ou afin d'obtenir certains avantages pour des gens qui souffrent. Mais de trinquerie en trinquerie, il boit un peu trop et ne voit pas qu'en s'illusionnant sur son pouvoir il entre peu à peu dans le jeu de l'occupant. Prisonnier de son extrême bienséance, on le voit très affable, ce qui est dans sa nature ; même s'il a toujours interdit que ses pièces soient représentées en Allemagne. Sa prétendue « résistance » prête à sourire : il tentera quelques attaquettes théâtrales contre la soldatesque en vert-de-gris en essayant de montrer ses œuvres patriotiques (notamment *Ceux de chez nous,* en laissant intentionnellement sur l'affiche le nom de la peu aryenne Sarah Bernhardt, etc.) ou en reprenant par exemple *Pasteur,* pièce qui glorifie la France en la personne de son scientifique préféré, et qui comporte, il est vrai, quelques répliques antiallemandes (la censure lui tapera sur les doigts). A l'heure des exécutions d'otages et où Jean Moulin se tranche la gorge pour ne pas signer des ordres infâmes, Sacha fait mumuse sur les planches. Malaise…

Il y a plus ennuyeux. Vichyste de tripes sinon de cœur – comme un certain Jean Jardin dit le Nain Jaune –, Guitry n'hésite pas à présenter son dernier film en Espagne franquiste à Madrid, le tout en grande pompe ; puis il applaudit beaucoup le Maréchal et s'en fait à l'occasion applaudir à Vichy pour divertir le régime avec qui il est à tu et à toi. Les Jardin ne sont pas loin. Yvonne Printemps fera le lien, avec l'acteur Fresnay qui ne donnait pas précisément dans le gauchisme (grand pote de Jean). Le képi de l'homme de Verdun émeut Sacha ; celui du Londonien longiligne lui semble un accessoire de théâtre. Guitry ne voit rien. Et quand l'idée lui vient de célébrer, sans humour cette fois, l'Histoire de France qui en a pris un sérieux coup, il commet un album patriotard désespérant qui a pour titre, tenez-vous bien, *1429-1942 – De Jeanne d'Arc à Philippe Pétain*. Un catalogue chic des gloires françaises qui rend un hommage peu hésitant à l'indépassable Maréchal : « Je n'en connais pas qui soit plus beau. Je n'en connais pas qui montre mieux le vrai visage de la France… », écrit-il avec fièvre. Affligeant. J'en ai pleuré. Décidément, Guitry n'était pas fait pour s'aventurer dans le sombre réel. Lui l'illusionniste se rue dans l'illusion maréchaliste. Face au petit caporal autrichien,

Chaplin eut une autre attitude ; en continuant justement à rire. On aurait préféré que Sacha se grimât en Pétain pour en plaisanter...

Lors d'un gala donné à l'Opéra de Paris le 23 juin 1944 – un gala de bienfaisance vichyste fin juin 1944, on croit rêver ! –, Sacha présente fièrement son *De Jeanne d'Arc à Philippe Pétain*, accompagné d'un film-commentaire de sa façon guitryque, sans se soucier le moins du monde du fait, parfaitement négligeable à ses yeux, que le débarquement anglo-américain a eu lieu en Normandie quinze jours plus tôt, le 6 juin. L'occasion permet une vente aux enchères de l'un des exemplaires, dont la recette, de 400 000 francs paraît-il, fut reversée à l'Union des Arts. Les armées américaine et anglaise, soutenues par la 2e DB de Leclerc, donnent leur sang à cent cinquante kilomètres de l'avenue Elisée-Reclus et lui, Guitry, continue à faire la charité.

Dès le début de la guerre, Sacha dénie souverainement le réel qui, tout à coup, ne pouvait plus être seulement embelli de répliques ou parfumé de fantaisie inappropriée. Pas une seconde pendant les quatre années d'Occupation, il n'a songé à modifier son train de vie fastueux, irréel en ces temps de disette nationale, comme si préserver les triomphes et le luxe inouï de l'acteur Guitry était nécessaire à la survie de la France.

Très vite, ses sachades dissonent dans le Paris qui a froid, peur et faim. L'insouciante mise en scène de son moi n'éberlue plus : elle choque affreusement. Le ressentiment et les jalousies anciennes, ayant macéré depuis des lustres, vont alors s'accumuler contre le « roi de Paris » qui, statufié dans son personnage éblouissant, n'imagine pas un instant souffrir comme tout le monde. Aux côtés du peuple de France qu'il prétend aimer. D'ailleurs Sacha a-t-il jamais accepté d'être *comme tout le monde* ? Le peut-il seulement ? Le personnage qui se fait appeler Sacha Guitry devient soudain un automate décalé. Etrange comme un être essentiellement mobile se fige au moment même où il lui aurait fallu se réinventer. Quand le génial Sacha veut bien agir – car le bien le tracasse –, il fait jouer ses habituelles relations mondaines, trinque avec un colonel prussien à monocle (le croit-il costumé ?) ou organise... un énième gala de charité au profit de la Croix-Rouge. En continuant à négliger la croix de Lorraine. Même sa bonté – dont je ne doute pas – consterne. Pendant ce temps-là, à Londres, Romain Gary grimpe d'un bond dans un Spitfire lourdement armé et tente de trucider son supérieur qui, attendant le feu vert de sa hiérarchie, lui avait interdit d'aller se faire occire dans le ciel du Pas-de-Calais. Gary ne joue pas, lui. Il vit, consent à mourir. Donc à vivre.

A la Libération, la tragédie emportera Sacha et il ne comprendra rien. L'égocentrique vieilli ne verra dans son emprisonnement politique qu'iniquité et liguage des envieux, vengeance de tous les jaloux de son aptitude au bonheur ; ce qui est assez exact, mais un peu court. Comme le dira de Gaulle à la Libération à propos d'un autre égaré (fusillé celui-là) : le talent est un titre de responsabilité. Surtout quand il atteint certains degrés. On ne peut pas vouloir être Sacha Guitry – et Dieu sait que Sacha s'y employa ! – et se contenter de jouer avec le réel en certaines heures où l'humanité se défigure.

Bien entendu, le réel se vengea. Bassement.

Sacha fut arrêté le 23 août 1944 en pantalon de tussor – tenue légère d'été – et chemise à grands « ramages » de couleurs vives, extraordinairement voyante et parfaitement loufoque dans les rues du Paris occupé ; autant dire en pyjama, comme s'il jaillissait d'un rêve d'avant-guerre. Lors de cette arrestation, on lui infligea des brusqueries inutiles, mais il continua, imperturbablement, à multiplier les bons mots. A ses visiteurs enfouraillés, deux jeunes FFI, il demanda avec sang-froid de qui ils tiraient leur autorité. S'entendant répondre qu'ils représentaient le Comité de libération, Sacha rétorqua sur un ton où filtrait tout son humour courtois : « Comité de libération ?... C'est au nom du Comité de libération que vous venez me priver de ma liberté? Etrange!» Toujours, Sacha fustigeait l'incohérence du fouet léger de l'ironie. De son interpellation, il dira ultérieurement: «Ils m'emmenèrent menotté à la mairie. J'ai cru qu'on allait me marier de force!» Plus tard encore, il lâchera les lèvres serrées: «La Libération? Je peux dire que j'en ai été le premier prévenu...» Dans le camp de Drancy – où il côtoie le gratin du vichysme incarcéré – il rencontre un matin l'ex-ministre de la Justice de Vichy alors que Sacha porte un seau hygiénique qui déborde d'excréments. Il lui lance alors avec le sourire, comme s'il se trouvait maquillé en scène: «J'ai eu une promotion. Me voilà garde des Seaux!» Un non-lieu complet sera finalement prononcé, évidemment justifié. «Il n'y avait donc pas lieu!» commentera-t-il en s'obligeant à sourire. Mais les imbéciles révoltés par sa scandaleuse insouciance ne le lâcheront plus. En 1947, alors que Sacha revient enfin au théâtre et qu'une partie de la salle – qui lui bat froid – ne le hue pas, il grommelle entre ses dents: «On ne peut plus compter sur personne...»

Cette expérience absolument non guitryque, la prison puis son petit séjour à Drancy après être passé par le Vél' d'Hiv, laissera dans son œuvre à venir des réminiscences aigres, des relents de bile mal purgée. L'amoureux de la vie se détraque intimement. Lorsqu'il bavarde avec génie dans *Le Diable boiteux*, face aux ambassadeurs des puissances alliées, Sacha déclare soudain en manière de plaisanterie : « Pour sceller ce pacte, je vais prendre vos mains. Donnez-moi vos petites menottes, mes enfants ! Je connais les menottes ! J'en ai l'habitude !... Donnez-moi vos menottes !... »

Allusion à son humiliation de 44 qui dura soixante jours. Elle lui coûta son bel optimisme au point de faire de lui, désormais, un mélange indéfinissable de rancœur et de son ancienne fantaisie. Drôles, ses innombrables mots d'esprit de cette époque qui, tous, créent l'étonnement et font mouche ? Bien sûr, mais j'y vois aussi une forme subtile de dévoiement : celui de l'esprit français qui tourne à vide quand il n'a pas de cœur.

Sacha, mon adorable Sacha, t'en ai-je voulu de ne t'être, au final, jamais aperçu de l'existence des autres ? Mais oui, tu as côtoyé tes semblables sans les croiser et, malgré ta générosité, tu ne t'es hélas jamais avisé qu'il fallait souffrir avec l'humanité, et non à côté d'elle, pour la connaître et l'aimer. Difficile de te donner un certificat de bonté réelle. Ce qui continue de me bouleverser et de désoler ta famille de cœur.

Dois-je l'avouer ? Pour finir, je t'en sais gré. Tu m'auras appris à vivre en éprouvant des sentiments mêlés, contradictoires. D'un côté je reste subjugué que tu aies su faire de l'existence cette parenthèse entre deux parties de néant, une telle partie de plaisir, une suite quasi ininterrompue de scènes éblouissantes. De l'autre côté tu m'effraies absolument ; alors même que je hais l'incompréhension dont tu as été l'objet de la part des minus. Sans doute te dois-je mes relations actuelles avec mon grand-père Jean Jardin (bien que le Nain Jaune soit décédé en 1976) : mélange de tendresse filiale – je lui dois la vie – et d'écœurement indigéré, avec un soupçon de colère. Je me sens si coupable de ne pas le détester. Je t'en remercie, Sacha, même si, pour respirer pleinement, il m'aura fallu te tromper avec un homme fabuleux, à la fois si éloigné et si proche de toi sous bien des rapports, de qui je tiens, après de longues années d'évitement, la plus grande joie motrice qui soit (supérieure à cent fous rires) : celle d'essayer d'être *grand*, de courir vaille que vaille vers cette forme de jeunesse jamais lasse, cette fièvre bizarre, immatérielle, qu'on appelle *la grandeur* et *la passion de l'Histoire*. La grandeur, l'Histoire... Mots désuets qui, sans doute, sonnent un brin naïf dans un siècle de téléréalité veule et de valeurs adulescentes ? Hormis les agités venimeux de nos extrêmes, quel givré témoigne encore, sur la place publique, de la tendresse infinie, très pure, que certains, dont moi, ressentent pour la France ? Je consens à ces critiques et y prête volontiers le flanc.

Si je n'étais pas progressivement devenu charlophile, moi le petit-fils blessé du directeur de cabinet de Pierre Laval, peut-être n'aurais-je jamais eu le goût étrange – qui confine désormais à la fièvre – d'*être la France*, de l'assumer avec imprudence en me gardant bien de cet égocentrisme laid qui pervertit toute cause lumineuse.

De cette passion casse-gueule je me suis longtemps défié.

Elle engage trop.

Et interdit certaines défausses confortables.

Ma fantaisie guitryque fut longtemps un masque commode, une feinte pour qu'on ne voie pas en moi l'empreinte profonde de Charles, l'autre homme qui m'a fait naître, ce militaire-mystère que le régime du Nain Jaune avait déchu de la nationalité française – risible, non ? – et condamné à mort, comme un vulgaire droit-commun. La police de grand-père traqua en effet ses lieutenants, livra ses émissaires aux sbires d'Hitler et fusilla sans vergogne ses représentants. Et moi, je me sens de son sang neuf.

DÉFIER

«On peut même voler de nuit, sans lumières et sans repères, vers le lendemain.»

Hugo Jardin

Une promesse de trente ans

Charles de Gaulle est mon plus grand secret.

Mon angle mort le mieux préservé, ma fièvre.

Mon vrai père.

Pendant toutes les années où j'ai ruminé clandestinement, à l'insu de mes proches, mon exploration minutieuse des activités politiques de mon grand-père à Vichy, c'est avec cet homme traversé par le droit rayon de l'idéal que je me suis soigné d'être un Jardin. C'est grâce à lui, ce fêlé exemplaire, que je n'ai pas perdu confiance en mon espèce.

Une seule personne sut le sérieux de ma passion pour Charles : mon père. Je dis bien *Charles* et non *le général de Gaulle* car la fascination qu'exerce sur moi cet irrégulier est sans rapport avec son action publique, forcément datée et contestable, que je tiens pour un effet secondaire de sa personnalité. Au point que je me demande parfois si l'œuvre la plus considérable de Charles – du fait même qu'il ait créé un précédent dérangeant, accusateur de nos petitesses (comme le dit l'ami Gary) – ne fait pas que commencer ; surtout dans une France où, quarante ans après sa mort officielle, le tout-venant de la politique, agité de notoriété passagère et ignorant tout de l'art de parler par symboles, semble avoir oublié jusqu'à l'idée même d'inscrire ses faits et gestes dans une grandeur séculaire qui me manque.

En juillet 1980, j'ai quinze ans. Sans que l'on m'ait averti de la gravité de la maladie qui tue le Zubial, je devine confusément qu'il va me quitter. Mon instinct me murmure que mon père ne connaîtra jamais l'homme que je vais tenter d'être après lui. Alors, en vacances sportives, profitant de pluies drues qui me clouent dans une grange alpestre remplie de foin, je lui écris une lettre qu'il aura le temps de lire, juste avant de faire de moi un orphelin. Dans ces quelques feuillets, griffonnés à la hâte, je lui avoue non ce que je vais faire mais qui je suis *en vérité,* moi son petit garçon : l'un de ceux qui, saisis d'idéal, tâcheront de marcher sur les traces difficiles de Charles pour que la France redevienne elle-même, ce rêve généreux qui fut imaginé pour le genre humain ; car je n'ai jamais cru que la France roulât pour autre chose que pour notre espèce. D'où ma joie d'être français. De mon écriture d'adolescent, je le lui promets en lui expliquant qu'il m'a choisi une mère un peu rodéo qui m'a donné la colonne vertébrale pour cela.

Je reverrai une fois mon père à Paris, avant qu'il ne m'abandonne. Dans son lit, cerné de métastases, nauséeux, vaincu par une chimiothérapie sans merci, diaphane, bouleversé, bouleversant, il me dit : « Si tu y crois vraiment, mais seulement si tu y crois vraiment, fais-le. »

Et puis je suis parti. C'était dit.

Puisque mon père n'avait pas ri, je savais que mon premier devoir serait, à un moment ou à un autre, de tirer mon âme vers le haut afin de ne pas me néantiser moi-même. Je n'aurais pas toujours le droit d'enfiler le masque charmant d'un Guitry.

A compter de ce jour, j'ai tenu dans l'ombre cette promesse de fils, effrayante. Sans trop savoir qu'en faire, en préférant longtemps suivre les préceptes de Sacha. Le plein avènement de soi est pour tout homme une angoisse, une démangeaison. Mon mythe personnel était bien constitué, mais cette promesse faite à mon père me paraissait ardue à tenir dans une première partie de vie. Certaines licences extrêmes exigent de cultiver une candeur brutale qui ne se trouve pas, quoi qu'on dise, dans la première jeunesse. La grande naïveté, conquise sur notre éducation toujours un peu desséchante, reste la seule grande force de frappe. Je ne crois pas que l'on dresse les pulsions de vie d'une nation contre ses pulsions de liquéfaction sans réveiller une innocence de premier ordre, ni sans humour !

Seul Charles – ou plutôt l'idée exagérée (chimérique sans doute) que je me fais de lui –

m'a confronté à la responsabilité de ma liberté. Une question absente de mon éducation de petit Parisien né en 1965, au beau milieu des *sixties* passionnées d'irresponsabilité, de dénonciations diverses et de désinvolture (ce qui revient au même).

Lui seul m'a appris à me défier de l'humanisme piteux qui exclut la force et la grande solitude (dont je ne me suis jamais échappé, non sans ridicule).

Lui seul, cet anti-Jean Jardin, m'a converti à ce qu'il nomme *la grandeur,* cette éthique incommode qu'il résuma en une poignée de mots impeccables : *viser haut et se tenir droit.*

Ce gentilhomme de l'effronterie a fait de moi, dans le plus grand secret – oui, sans que les miens y aient eu quelque part –, un type hautement allergique à la fatalité, haïssant toutes les formes de statisme. Un militant associatif qui chaque matin entend l'appel permanent du 18 juin, cette invitation à nager contre tous les courants de la renonciation à soi.

C'est par Charles que je suis donc né, comme tant d'autres, à l'étrange joie de dire *non* : aux confusions délétères, à toutes les formes de déni (y compris celles qui ravagèrent les miens), aux efficaces qui n'ont pas d'esthétique, aux évasifs qui se figurent que toute fidélité est une camisole, que l'amour de la France est une simple opinion (alors que c'est une fête) ou que, au bord d'une débâcle sociale sévère, l'air du temps a encore une tête d'avenir.

C'est par ce zèbre de qui les rayures s'appliquent exactement à la France que j'ai compris la nécessité de se déprendre de son petit *moi* pour se fondre dans un *nous* qui exclut tout appétit vulgaire de pouvoir. Avec Charles, la seule vanité ne fut jamais en jeu. L'hypertrophie du moi, tant daubée, n'est qu'apparente. Seuls les esprits pataudes et les écrivassiers sans discernement le crurent ; et même si j'avais tort, cela importe peu. L'essentiel est que je me sois fait de lui cette *idée* (désencombrée de tout narcissisme imbécile), qu'il ait eu le talent de la susciter du fond de sa tombe. Dans mon esprit, son orgueil infranchissable, supérieur, n'est pas dénué d'humilité. Dans mon cerveau très porté au songe, je l'avoue, il y a chez lui concordance réelle entre la grandeur du rôle qu'il s'attribue et celle du pays que j'aime charnellement.

Oui, c'est grâce à ce bloc d'Histoire que j'entrerai, quelque jour, dans le cercle – plus large qu'il n'y paraît – de ceux qui sont persuadés que la volonté tricolore doit rester une force créatrice nécessaire à l'univers tout entier (qui bien sûr n'est pas digne de vivre sans nous…), portée par les puissances de l'imaginaire, un rêve universel opposé aux minables réalités du présent. Je refuse de toute ma force d'homme l'amoindrissement français que Charles aurait sans doute nommé «la grécisation de la France». Pour que cette terre se recommence avec feu, et qu'elle vive une fois de plus d'une vie féconde, il faudra bien que le pays de Cyrano redevienne une voix gaie, excitante pour le globe, que l'intrépidité nationale reprenne ses droits. L'idéologie de la peur doit battre en retraite, tout comme le doute sur notre utilité historique. Tôt ou tard, un espoir déraisonnable, charlien donc, devra reparaître. A notre tour, il nous faudra refaire usage des fondements mythologiques de cette nation divisée en invoquant, sans détour, ce beau mot de *grandeur* qui, malgré notre esprit frondeur, demeure notre vrai principe générateur et le meilleur levier de nos audaces. Au risque de soulever des tsunamis d'ironie! Sans règne vivant des symboles pour faire danser notre imaginaire, que devient la réalité? Une pâleur. Notre roman national ne peut en aucun cas être un livre de comptes. D'évidence, la France a du mal à être elle-même si ses dirigeants cessent de parler à son âme universaliste, à sa perpétuelle soif d'impossible. La normalitude qui nous rapetisse à présent ne peut pas être notre horizon. L'exécutif ne pourra pas toujours demeurer sur le seuil de la grandeur en n'ambitionnant rien pour ne décevoir personne. En nous, il faut respecter d'Artagnan, notre part de Cohn-Bendit et de Gustave Eiffel. Le pont d'Arcole reste notre meilleure manière de franchir les fleuves de l'Histoire en crue. Impossible de se contenter de tripotages sémantiques et d'une sacralisation de l'éphémère (confondu bêtement avec la modernité) pour maquiller l'impuissance à être ; cela n'aura qu'un temps. L'éclipse de la France sur la scène du monde ne peut s'éterniser, chacun le sent bien ; c'est un non-sens qui décharme l'époque et déshonore l'Europe, notre famille de cœur. Fabriquer l'Histoire pour le compte de l'homme est notre plus joli métier, le seul qui mobilise nos affects ; à condition d'y mettre ce qu'il faut de style, d'amusement piquant et de tendresse vigilante pour nos semblables ; car la politique, quoi qu'on dise, c'est le bonheur des autres. Et l'art de fêter ses rêves.

A quelle place vais-je me projeter pour tenir parole, mon jeune papa mort à quarante-six ans ? Devenu ton aîné, je te le redis avec bonheur : à une place romanesque. Là où tu es, répète-le vite à Sacha ; qu'il ne s'inquiète pas de me voir tomber dans une teinte trop sérieuse. Allégé de tout ego désormais (le charlisme n'est-il pas un élan hors de soi ?), chanceux donc, je ne suis pas de ceux qui ont besoin d'être le chef des hommes pour se sentir leur égal. Contribuer à une action publique, en être l'une des âmes joyeuses, ne requiert pas de couronne visible, de limousine ou même de portefeuille. Un scooter et un téléphone portable suffisent, pourvu que le goût de l'improbable et le refus de l'ordre établi soient là. Ma fonction très bénévole relèvera, bien entendu, de l'auto-désignation. J'aime tant donner du pouvoir aux gens de mon pays, en distribuer plutôt qu'en prendre. Là est ma grande affaire, ma joie la plus sincère. Que d'autres siègent à l'Elysée !

Sauf si la défiance à l'égard d'une classe politique qui a fait faillite, portée à son comble, crée pour un citoyen non discrédité – moi ou un autre plus capé – la nécessité d'assumer la nation, avant que l'extrême droite ne profite de sa déconsidération. Sauf si la crise actuelle de la démocratie, qui déjà suicide l'Italie et trucide l'Espagne, n'est pas enrayée par des républicains résolus à s'amender de leurs erreurs impardonnables. Sauf si la défiance de la rue crée de fait l'obligation pour la société civile – d'une probité minimale – d'être garante de la France et de se hisser au rang de force politique. Sauf si les clefs du pouvoir exécutif tombent de facto entre les mains de ceux qui n'auront pas déjà gouverné et pactisé avec l'inertie qui feint de réformer depuis trente ans. Sauf si, face à la marée montante des colères, personne ne se décide à apporter à la charge présidentielle son propre pouvoir d'entraînement ; ce qui me désolerait pour mon pays et, disons-le nettement, pour moi. J'aime tant ma vie libre d'écrivain, de filmeur, de mari et de père !

Alors je serai une volonté pure doublée d'une humilité scrupuleuse, avec cette espèce d'effacement qui me saisit sincèrement quand il est question des autres ; car il ne serait alors pas question de servir mes opinions propres (Charles nous a assez enseigné que le pouvoir légitime passe par l'oubli de son moi) mais bien d'activer les ressources d'une société civile dévitalisée, de lui redonner d'amples pouvoirs pour qu'elle se sauve elle-même, en lui faisant pour une fois confiance. Comme le dit Jacques Attali, « il nous faut moins un homme providentiel qu'une société providentielle ». Dans tous les cas, Charles II – au diable les Hollande II, les Chirac II, les Sarkozy II ! – devra donner son crédit moral à son titre pour que la grandeur reparaisse à Paris et que le pays officiel, volontiers prédateur, se taise un peu.

J'écris aujourd'hui tout cela sans gêne, avec la plus totale franchise car je n'ai plus peur de ce que je dis ni d'incarner quelque jour, s'il le fallait, mes propos au premier rang ou au second ou en fond de salle, cela m'est bien égal ; et puis la fausseté, désormais, me paraît une erreur fatale à la nation. Trop de gens sans ouvrage. Trop de dévissages moraux. Trop de colères acculées, de parjures, de louvoiements, d'abus de prudence. Afin de rassurer, il convient de réduire les angles morts, d'abattre son jeu avec cœur et de réduire presque entièrement l'espace entre le soi public et le moi intime. Le second doit dévorer le premier – ce qui n'a rien à voir avec la course minable à la *transparence accusatoire* qui participe du procédé de délation et délabre notre vie publique. L'ambiguïté n'octroie que du pouvoir factice, les ors de la République, jamais le sceptre réel. Charles me l'a enseigné. Hollande, en contre-exemple, me l'a confirmé. J'ai assez médité la question depuis mon jeune âge, en secret, pour connaître ce mécanisme. Par surcroît, je me dévoile car je sais bien que je ne serai pas considéré. Le monde, dans son infinie sottise, croit toujours qu'il n'arrive que des choses prévues ou que seules les carrières élyséennes affectent le réel (comme si Jacques Chirac – cet autre nom de l'inertie – avait infléchi notre destin !). Au mieux, les milieux qui tiennent le crachoir souriront. Au pire, on ricanera à la française ; car à Paris toute ambition révélée n'est qu'une occasion de médire. Cela n'altérera en rien mon dialogue avec la France, pas celle des sondages, celle de Charles, d'Hugues Capet et de Danton, celle qu'il nous faudra bien léguer un jour à nos enfants (j'en ai plein, des caractères). En bon état et, surtout, en ayant conservé leur estime ; ce dont j'ai le plus grand besoin.

Lorsque Charles publia *Le Fil de l'épée* en 1932, sept ans avant d'entrer en collision avec son destin, il dessina très exactement le portrait de l'homme dont le pays aurait, un jour, l'utilité pour le tirer du pétrin ; et il ne s'est trouvé personne – ou presque – dans Paris ou à la Chambre des députés pour s'aviser que ce texte, une anticipation géniale, créait *en réalité* (et non sur papier) l'individu, ou plutôt le prétorien d'exception, décrit par ce livre. L'auteur s'autocréait pourtant ouvertement ! Comme jadis l'extravagant Disraeli le fit en publiant ses romans prétendument frivoles et romantiques (*Vivian Grey* notamment) où, en réalité, il se donnait rendez-vous à lui-même pour fonder l'Empire de la reine Victoria, en lui prêtant ses rêves ; car Dizzy, lui aussi, prit toujours plaisir à transporter ses textes dans la vie. Les hommes ne voient rien ! Ils ne se fient qu'aux mensonges bruyants et rient habituellement de tout ce qui est sérieux.

En 2012 survint, chez les Jardin, un incident charmant que mon entourage prit pour une farce sentimentale, une sachaterie : je faillis faire un enfant à Charles de Gaulle. Ce qui aurait compensé la très grande fragilité de mon lien de sang avec Sacha ; malgré les efforts de ma grand-mère préférée. L'un de mes fils s'était amouraché d'une descendante directe de Charles. Je vous le jure. Il étreignait un corps rempli de son ADN. Cette nouvelle fantastique m'ôta bien évidemment le sommeil. Si mon garçon avait un peu persévéré dans son attachement et s'était appliqué à lui faire un bébé, un authentique Jardin-de Gaulle, j'aurais été le Français le plus heureux. Comblé dans mes songes d'adolescent ! Quel triomphe que de faire un enfant avec l'homme qui m'a déséduqué et dont le bon sang aurait alors lavé le mien ! Mais mon fils fut étourdi du cœur, distrait dans son érotisme et l'affaire tourna court. Un échec retentissant. Alors que j'étais à deux doigts de me reproduire avec de Gaulle. L'ingrat !

Naturellement, mes proches se figurèrent que je plaisantais. Rien n'était plus faux, même si je parus, par savoir-vivre, m'amuser de cette lubie légitime, inespérée même. Par tous les bouts, j'ai besoin d'incorporer Charles l'enchanteur dans ma filiation, de faire arbre généalogique commun avec ce grand évadé.

Notre rencontre

Charles fut fait prisonnier en 1916 après avoir été laissé pour mort dans la tourbe de Verdun. Mais il n'était pas homme à se fossiliser dans un cachot allemand. Toujours l'animal se rebiffa contre ce qui pouvait amoindrir son élan et entraver ses ailes. Scandalisé de ne pas pouvoir se faire tuer pour la France, l'albatros en bandes molletières tenta de s'échapper cinq fois – un spécialiste de l'art de déguerpir ! – pour avoir l'honneur, espérait-il, de se faire mitrailler ou estropier en Champagne, sa plus vive obsession. Récompense qu'il n'obtint jamais, malgré tous ses efforts.

On le boucla même dans la fameuse forteresse d'Ingolstadt où les Allemands concentraient alors les forcenés de l'évasion ; là où croupissait le célèbre *escaping club* qui inspira *La Grande Illusion,* le film de Jean Renoir. C'est à Ingolstadt, derrière ses sinistres murailles, que l'incommode capitaine de Gaulle, multipliant les conférences devant un parterre d'officiers de haut rang médusés, outra sa hiérarchie en débinant les erreurs stratégiques et tactiques du haut commandement – de Charleroi à la guerre de tranchées en Champagne – et en clouant au pilori la sottise meurtrière de la stratégie dite du « grignotage ». Avec une insolence d'autant plus irritante que ce rééducateur se complaisait à donner à ses sarcasmes une forme lapidaire, à mettre ses convictions en maximes. D'emblée, Charles se montra irrévérencieux avec politesse, ingérable en réalité, une révolte permanente ; et ça ne faisait que commencer. Rien ne pouvait comprimer cet excessif à sang froid, *rien* vous dis-je.

La mère de Charles lui expédie-t-elle de l'acide picrique à Ingolstadt, dans un colis, pour soigner ses engelures ? Ce dingo avale aussitôt le contenu du flacon, hautement toxique, pour se faire transférer dans un hôpital moins étroitement surveillé. Au risque de périr (ce genre de détail ne l'arrêtera jamais). Corrompant un garde qu'il fait chanter, Charles se fait alors la belle pour la ixième fois ! Repris, on jettera l'irréductible asperge dans des oubliettes rhénanes où, arrogamment, il attendra son destin.

Dès notre rencontre, cet artiste de soi me posa problème. Son exemple me renvoyait vivement à mes petites couardises, à tout ce que j'élude par confort ; car de Gaulle, c'est le courage invraisemblable, organique, de refuser les dénis français. Mieux : ce type est *la joie de se jeter à l'eau* ! L'antithèse même de Vichy et de Pétain, du vieillard podagre qui donna aux Français de 1940 l'autorisation d'être lâches, à l'ombre de sa gloire intacte. S'il le dit, lui le majestueux Maréchal couvert de prestige, que l'on peut cesser le combat sans périr de honte, sautons vite sur l'occasion ! Alors que notre peuple mitraillé sur les routes en avait alors tant envie… Grâce à ce faussaire aux traits fermes et aux manières impériales, la honte fut bue par quarante millions d'effrayés, prompts à la reptation, de Français pressés de se duper eux-mêmes : nos parents et grands-parents. Et chacun put s'imaginer que la gloire d'hier du Maréchal, ratifiée par ses augustes postures, compensait la médiocrité du présent. Quel trucage infect !

On s'en doutera, ce ne fut pas chez les Jardin que notre histoire d'amour se noua, mais sur un curieux chemin de traverse. Le vrai de Gaulle – celui des charlophiles sur le qui-vive qui ne se confond pas avec celui des gaullistes pépères habitués au droit chemin – ne se peut croiser que sur les sentiers tortueux de la liberté. Loin des soupières de l'honorabilité.

1979. J'ai quatorze ans. Charles n'est encore pour moi que le nom d'une station de métro trop grande. J'ignore encore que, sous le rapport de l'écriture, j'aurai avec ce gandin le même type de rapport que Sacha eut avec Victor Hugo : ceux qui n'aiment pas sa plume me sont odieux à lire ou à fréquenter. Imaginez-vous un adepte du fétide ou du tiède lisant avec innocence les *Mémoires de guerre* ? Les asthmatiques ont toujours eu du mal avec la cocasserie ample de ce réfractaire inapte à la nuque basse, au genou fléchi et aux promesses différées. Ce jour-là, je ne sais pas encore que je vais tomber raide dingue d'un grand Lorrain accoutumé à mettre en échec les habitudes mentales françaises et à foutre des raclées à la fatalité.

Etrange comme la vie organise, par certains raccourcis, le rendez-vous que nous avons avec notre destinée.

Ce soir-là, je traverse le bois de Boulogne à vélo pour rejoindre une beauté que j'assiège de déclarations, sans me douter que je vais diverger avec moi-même et... rencontrer Charles ! De la manière la plus singulière. Le cœur en fête, je m'apprête donc à retrouver la blondinette à la peau ocrée qui fouette mes désirs quand j'avise... une pute qui tapine, émergeant de la faible lueur d'un lampadaire. Même pas belle. Courtaude. Un visage blême qui a trop de lèvres. Des hanches qui ont trop de fesses. Une collerette de graisse autour du cou abolit son port de tête. Ma grand-mère disposait d'un mot délicat pour qualifier ce type de physique : *inattendu*. Pourtant, érection incontrôlable. D'emblée, je palpe mon argent de poche dans mon jean ; assez pour m'offrir une édition rarissime qui date de 1943 : *La Vie privée de Talleyrand* par Jacques Vivent, repérée chez un bouquiniste qui vieillit près de Notre-Dame ; suffisamment aussi pour convertir cette vie privée du Diable boiteux en une passe, ma première et unique, exécutée en urgence dans une camionnette sordide (qui eût fortement déplu à Sacha) garée dans une contre-allée boisée. Echange furtif de billets. Au milieu d'une nature morte, je jouis sans jouir et sans rien comprendre à ma jeune frénésie qui plaque ce corps vénal sur une banquette. Le chagrin étrange qui me traverse et me pousse à cet acte me reste inexplicable. Pourquoi cette étreinte morne alors que je suis amoureux et attendu dans des draps accueillants ? alors que tout en moi déteste cette ruade sans apprêts avec une personne sur laquelle je ne me serais jamais retourné dans un bar ? Une fille qui trouve à commercialiser ses charmes (si l'on peut dire) mais sans doute pas à les offrir bénévolement. Grelottant, sidéré par moi-même, le cœur incertain, incapable de penser ma conduite et fasciné par mon absence de culpabilité, je me rhabille. Traître, enrobé de romantisme échevelé, je n'éprouve pas la moindre gêne. Qui suis-je ? A quatorze ans, je me découvre impensable dans ce Combi Volkswagen rouillé. Un autre Alexandre a pour la première fois pris les commandes de mon corps par peur, peut-être, que ma vie ne soit un voyage trop organisé. Je me sens un trou noir pour moi-même. Le sexe a ce pouvoir de faire surgir notre part de désordre, d'incohérence irréductible. Cette fille de tristesse est piètrement logée dans ce véhicule mais elle parle bien, par nuances, usant d'une grande pureté de langage alors qu'elle essaie de connaître mon âge véritable (j'ai un peu menti). Que fait-elle là ? Aimable, elle a déféré à mon désir avec des timidités touchantes de pucelle et une étonnante courtoisie qui jure avec la vulgarité de la situation. Ma civilité un peu déplacée l'a-t-elle surprise ? Tout ce qui se presse d'émotion sur son visage inspire la confiance.

Reboutonnant mon pantalon, j'aperçois alors, à mon grand étonnement, quelque chose de singulier en un tel lieu : une édition en format poche des *Mémoires de guerre* qui gît devant le volant sale. Le tome 1 traîne là, usé par une lecture prolongée, dans cet antre du sexe rapide, posé près d'un vieux chat crevard. Tandis qu'elle se rince la bouche en se gargarisant à l'eau de Vichy (le détail ironique m'est resté), cette gaulliste de cœur m'en lit à voix haute les premières lignes. Sa voix tremble presque tandis qu'elle scande ces mots immenses, fortement médités : « "Toute ma vie je me suis fait une certaine idée de la France. Le sentiment me l'inspire aussi bien que la raison. Ce qu'il y a en moi d'affectif imagine naturellement la France, telle la princesse des contes ou la madone aux fresques des murs, comme vouée à une destinée éminente et exceptionnelle…" Bien joli, mon petit ange, non ? »

Oui, bien joli.

Bizarrement, je retiens *une joyeuse idée de la France* au lieu de *une certaine idée…*

Mon deuxième poumon vient de respirer. Saisi par une explosion d'enthousiasme, je découvre que j'ai toujours vécu avec la moitié de moi. Le souffle vital qui anime Charles me soulève et m'atteint au plus secret de moi-même, sans que je me questionne pour savoir, ignorance oblige, s'il y a du Vauvenargues, du Tacite, du Barrès ou du Nietzsche dans sa prose qui, à mes yeux, a tout d'un électrochoc, d'un appel irrésistible et rien d'un meuble d'époque. L'essentiel me touche: un style qui vit. Une joie française, contenue mais palpitante. Après l'érection physique, l'érection morale. Instantanément, je me demande si j'aime Charles. Devant les conséquences de ce mot, incalculables pour moi, j'ai alors voulu espérer que non. Est-ce l'effet des circonstances, de la brèche émotionnelle que ce coït aberrant et clandestin a ouverte en moi ?

Le *petit ange* resta silencieux, frappé jusqu'à l'âme, envoûté par la hauteur de ce caractère avec qui je m'accordai d'emblée. L'exemplaire me fut offert illico, dans un mouvement irréfléchi, assurément généreux. Je l'ai encore et le conserve comme un talisman. Le cynisme de Talleyrand (dans sa meilleure édition) fut donc troqué contre une parole de feu dans une camionnette du bois de Boulogne. Ainsi va la vie, brouet d'élévations volées et de nécessités pubertaires. De cette entremetteuse, je ne me souviens pas du visage, seulement du corps bref: une robuste coquine, sans grâce, qui sentait la bonne humeur, celle des filles vraies qui vivent à leur guise. Ressemblait-elle, par le cœur, à cette tapineuse patriote et normande que Charles croisa dans une rue noire de Londres le soir de la victoire de Bir Hakeim, en 1942, et qui lui demanda de signer un autographe sur une photo du chef de la France libre jaillissant de son sac à main ? La dédicace de Charles – rapportée par Maurice Schumann qui l'accompagnait – m'est restée : « A madame X, qui a travaillé pour l'Entente cordiale. » L'existence n'est probable que dans les manuels scolaires ou sous la plume des historiens qui, désemparés devant l'invraisemblance des faits, inventent une plausibilité au destin.

En lisant les Mémoires de Charles avec avidité – ces pages se situent à l'extrémité de l'audace et me parlent toujours au cœur comme aucune autre –, j'ai immédiatement discerné que le *charlisme* n'est ni une doctrine pour encarté, ni une religion du passé, ni même un nouveau système congelé mais une joie intemporelle, une façon résolue de se hisser au-dessus de soi. Un mouvement du cœur en somme, une énergie qui vit et se maintient dans le domaine du sentiment, pas un catéchisme politique. Pour éviter toute équivoque datée ou bêtement partisane, je parlerai donc ici de *charlophilie*, de passion inconditionnelle, tripale. Avant Charles, mon affection pour un homme n'avait jamais passé un amour de tête. Je m'en excuse auprès de Sacha dont le mode de vie burlesque le contredit à angle droit ; même si leur mode d'être est si proche ! Sacha me le pardonnera, je le sais ; bien qu'il ait eu la faiblesse de n'être jamais charlophile, de passer à côté du seul de ses contemporains qu'il eût dû jouer pour mieux l'imaginer. J'emploie ce verbe à dessein : on ne connaît de l'intérieur que ce que l'on imagine.

Depuis cette rencontre inopinée dans le bois de Boulogne, le Connétable de France et moi sommes restés très liés, à un degré presque obsessif : il est, disons-le, devenu la grande affaire de ma vie après l'amour. Pas un matin sans m'être inquiété du point de vue de ce déséducateur sur ce qui m'arrive, sans soumettre mes attitudes aux jugements que je lui prête. Je l'ai toujours vu non comme l'aliment principal d'une doctrine ridée, mais comme une espérance juvénile qui m'assigne un but, et m'oblige à tout revoir dans un autre format dès lors qu'il est question de la France. Ce livre en porte témoignage. Quel honneur de se choisir un père aussi surnaturel ! et d'intérioriser ses pensées ! De la dimension de silence que Charles exige de ceux qui ambitionnent de venir en aide à une nation épuisée, j'en conclus aussitôt qu'il me faudrait dissimuler mes années d'apprentissage avant de rencontrer mon Rubicon – ce que je n'espère pas. Pas d'autre solution dans une France en cours de fragmentation, vouée à l'aquoibonisme et qui, après des décennies de faux-fuyants, pousse à l'exil la fine fleur aventurière de sa jeunesse. J'ai alors commencé à vivre l'essentiel de ma vie à l'intérieur et non vers l'extérieur que j'affichais, en percevant peu à peu les forces internes qui m'animent véritablement.

Mon caractère peu accusé et trop éparpillé (par la facilité) avait grand besoin de quelques fessées pour être remis dans le droit chemin du risque.

Fessée numéro 1

Enfant, j'étais assez pétochard. Je me sentais inapte à accumuler sur ma tête des risques excessifs. Pourtant j'eus tôt, comme ce malade de Lawrence d'Arabie, le désir de mener une vie *dont chaque instant serait un paroxysme.* Le réel me sidérait. On m'a même surpris à sept ans face à la mer par jour de grande houle. Impressionné, grelottant, je hurlais *Couchées !* aux vagues démesurées qui assaillaient la grève, avec l'espoir d'être obéi ; un peu comme dans un dessin de Sempé. Le monde me paraissait excessif, traversé de tourmentes qui me laissaient désemparé. Né dans une famille amoureuse du désordre qui touillait sans relâche ses névroses, je souhaitais que les êtres que j'adorais le plus et les éléments fussent mieux disciplinés. Très jeune, je fus donc séduit par cette notion apaisante, source de tempérance, que mes professeurs appelaient avec respect *la raison ;* terme dont ils semblaient tous avoir l'étrange mystique. Et puis, un jour des années 70, j'ai reçu une fessée. J'ai alors pris en dégoût leur foutue raison qui finit toujours par justifier l'injustifiable.

Un soir que mes parents étaient sortis turbuler dans Paris, je vis seul à la télévision une série d'interviews en noir et blanc de *Français libres*. Pas encore revenus de leurs vingt ans, ces revenants ne manquaient ni d'allant ni d'effronterie joyeuse. Rien de guindé ou de desséché. Je les crus en couleur. Face caméra, ils racontaient avec une émotion pure, empreinte de retenue et d'un zeste de potacherie, qu'ils avaient les uns et les autres rejoint Charles à Londres sans un sou en poche, en détournant des bateaux de pêche, des yachts, en volant des avions militaires ou civils, parfois en traversant pieds nus les Pyrénées, en mentant pour certains à leurs parents (les reverraient-ils jamais ?), en s'exposant à la torture et aux sévérités de la déportation, ce qui est moins drôle. Même leurs silences étaient paroles. Pourquoi une telle débauche d'énergie et de coups tordus si risqués ? Pour avoir encore l'honneur d'être français, debout. Sans rien espérer d'autre que le frais bonheur de se rebiffer. Gratuitement. Ces dégourdis donnaient à comprendre aigument, avidement, le mot *liberté*. Soudain, j'ai rencontré le souffle de ces sept lettres. Pour eux la mort n'était qu'une petite part de la vie. Ces téméraires avaient pris la raison de mes profs dans de grosses tenailles et l'avaient broyée avec allégresse. Jamais ils n'avaient spéculé sur leurs propres chances de succès ni songé à se faire rembourser leurs notes de frais à Londres ! Il n'entrait chez ces affranchis pas une once de fatuité, seulement une allégresse pure qui spiritualisait leur témoignage et leur visage qui rayonnait encore ; comme s'ils s'étaient délivrés d'un horrible poids en faussant compagnie à l'amertume de l'Occupation, en claquant la porte à la petitesse des vichystes. Le peu de cas qu'ils semblaient presque tous faire de leur audace personnelle, et leur manière inattendue d'être sensibles au caractère imprévu ou comique des choses, me frappèrent. Tout de suite, j'ai flairé que ces survivants étaient très exactement ce qu'il faut essayer d'être avant de mourir : vivant, absolument désintéressé, impossible à berner. Dès le premier instant, une sympathie irrésistible m'unit à ces Don Quichottes efficaces dont l'insolente présence s'abattit sur moi. Devant ma télévision, je me sentis alors visité par une émotion pleine de chaleur, celle qui naît de la rencontre avec l'optimisme irréductible. L'un me bouleversa tout particulièrement. Loin d'être ramenard, ce héros évoqua son homosexualité qui, disait-il, diminuait *forcément* le courage dont il avait fait preuve puisque, n'ayant pas d'enfants, il n'avait exposé que lui-même dans les périls – assez exorbitants – qu'il avait souvent frôlés. Bomber le torse semblait à cet intrépide le comble de l'inélégance. Grand monsieur, totalement inconscient de sa grandeur.

Au bout d'une heure qui avait fui comme une minute, j'étais au seuil d'une merveilleuse passion pour ces gais patriotes, ces juifs à la ramasse mais combatifs, ces fiers cocos traqués, ces cocardiers intraitables qui me gorgeaient d'une fierté inattendue ; comme si leur aventure quasi mythologique m'eût valu, en tant que Français, un surcroît d'importance ; comme s'ils s'étaient accordés pour me traiter en ami. Face à mon poste, je me suis alors mis à pleurer de toutes mes larmes : j'eus envie d'avoir toujours vingt ans à travers eux. Jamais ces orgueilleux désargentés – pétris d'humilité et tous affamés de littérature – ne seraient accablés de vieillesse. Je saisis pleinement en les écoutant avec fièvre ce que Gary me confirma plus tard dans ses articles sur la France libre : suivre la voix hypnotique, nocturne et alors si lointaine de Charles fut pour eux, dans leur lumineuse jeunesse, *une manière d'accepter d'avoir tort*, parce que la raison c'était évidemment Vichy. Les gens de bon sens qui, comme mon grand-père, avaient fait confiance à Pétain à l'été 1940 avaient eu raison dans le sens de l'habileté, de la prudence la plus évidente, dans le sens qui eût évité à mon père d'être un artiste, aux premiers saints de servir de repas aux fauves au Colisée, dans le sens qui aurait dû normalement dissuader le Christ de se faire clouer sur une croix, dans le sens qui eût dû empêcher Colomb de s'aventurer si loin des côtes ibériques sur un bateau aussi précaire.

Tous ces Français libres avaient eu l'instinct de défier la raison, assez de tripes pour se dégager de ce piège en envoyant paître les sinistres « armisticieux ». Tous avaient un certain jour cessé de coopérer avec la rationalité, celle que Cézanne aurait dû écouter plutôt que de s'obstiner à peindre des toiles qui n'emballaient personne sauf son vieux copain d'enfance Zola. Et puis, la France était-elle vraiment partie à Londres dans les bagages – somme toute très légers – de ce général nommé à titre temporaire ? Dénaturalisé de surcroît et condamné à être fusillé par des gens très bien ! Les fables romantiques qu'il débitait avec ardeur à la BBC étaient-elles bien justifiées ? Alors que la France bedonnante et légalement établie par la chambre du Front populaire, reconnue de surcroît par la respectable Amérique de Roosevelt, était dans ses meubles à Vichy, même si elle logeait à l'hôtel.

Que ces gens en complète rupture avec la raison – et lâchés par les élites françaises groupées autour du Maréchal – aient fait confiance à l'incommode Charles, à pleins risques, me l'a alors fait aimer de passion ; comme on s'éprend d'une fille au charme énigmatique. Qu'avait donc de si particulier l'homme-mystère qui, dans leur cœur, jouissait d'un don singulier de prééminence et d'une séduction aussi folle ? Lorsque j'ai éteint mon poste, mon cœur battait d'un pouls qui ne s'est jamais assagi : j'étais à jamais gagné par leur charlophilie contagieuse, disposé à avoir quelque jour tort moi aussi aux yeux de ceux qui croient aux opinions calibrées, rentables, honteusement rationnelles. J'étais prêt à suivre tous les Présidents capables de s'écrier : *We'll go to the moon !* A présent encore, je ne suis pas tellement sûr que ces Français libres soient aujourd'hui les morts et nous, les minuscules Français convertis à la prudence congénitale, les vivants. Il y a quelque chose au fond de leurs yeux qui n'appartiendra jamais à la petitesse. Ils resteront vivaces dans le cœur des garçons qui songent à enlever une belle, à commander une légion et qui ne peuvent se plaire indéfiniment au même décor mental.

Fessée numéro 2

Nous sommes en 1927, le 7 avril. Installons-nous dans cette salle bondée de l'Ecole supérieure de guerre où, dans un instant, le capitaine de Gaulle va prononcer la première de ses trois conférences sur l'art du commandement, avec une curieuse flamme de défi dans les yeux ;

et flanquer une fessée à tout ce que la France compte de vanités militaires en voie de fossilisation. L'asperge surgit sur l'estrade, sanglé dans un uniforme rêche, maigrichon, insoucieux de ses aises, la paupière lourde, aussi raide que les propos guindés qu'il va tenir. Le buste fixe, il se redresse sur ses jambes échassières et jette un regard circulaire. Sans transition, avec une juvénilité implacable, quasi adolescente, ce grand liseur s'affirme comme un personnage de Shakespeare échappé de l'une de ses pièces, sorti de l'action en cours pour se regarder. Le verbe haut, hypnotisé par sa propre étoile, Charles l'impavide réclame à l'existence ce que d'autres attendent du théâtre élisabéthain. Son œil vise comme un fusil. Le nécessaire se confond pour lui avec la grandeur. Quelque chose d'inflexible passe dans sa voix de tête et sur son front intelligent, froncé. A mots cadencés, il parle non au parterre galonné qui tend l'oreille avec stupeur mais à l'Avenir, comme s'il savait d'instinct que la mémoire humaine sera toujours fidèle aux coups d'éclat. De sa fréquentation des auteurs du Grand Siècle, il garde dans l'esprit une tonalité majestueuse, une supériorité spontanée et une hardiesse que sa robuste dialectique domine, avec ce je ne sais quoi de médiéval qui ne laisse pas d'effarer les normaux pétrifiés dans leur uniforme. Pourquoi ce chevalier au cou trop long, au menton solide et au faciès gothique, équipé d'oreilles parcheminées, ne porte-t-il pas de heaume et de cotte de mailles ? se demande l'assistance. Le XVIIe siècle littéraire et la geste du Moyen Age semblaient taris ; eh bien non ! Bossuet a bien un petit frère, les jansénistes un cousin d'un mètre quatre-vingt-seize, Corneille un admirateur moderne en bandes molletières qui se fiche bien du ridicule.

Au lieu de s'en tenir à un bavardage arrondi, propre à ménager les conservatismes, et surtout de montrer à ses chefs la plasticité de caractère qu'ils attendent d'un subordonné, Charles rudoie son auditoire qu'il prend de haut. Sans craindre de détraquer les ressorts et les articulations de la hiérarchie militaire, fondement de son univers. Indifférent à leur jugement, il ne cherche pas une seconde à se faire agréer par ceux-là mêmes dont sa carrière dépend. Lui, le soldat le moins capé de la salle, fait sans gêne l'éloge de l'art de se fabriquer soi-même un caractère accusé – « une personnalité puissante organisée pour la lutte », précise-t-il – en rapport avec les ambitions hautes qu'il se réserve et qui, de toute évidence, s'accordent à son maintien. Scène irréelle. Ce n'est pas un autoportrait qu'il brosse avec feu, c'est un ultimatum à soi-même qu'il lance au cœur de ce qui est encore l'armée victorieuse et légendaire de 1918. Chacun entend que cet extraordinaire de Gaulle, déjà apte à mimer l'Histoire, à se tailler un costume râpeux dans la tapisserie de Bayeux et à converser avec Sully, se contraint, face à l'état-major au complet, à devenir l'homme-miracle qui symbolisera quelque jour les idées acérées qu'il expose. En direct, il contracte devant ses supérieurs l'obligation d'en représenter la réalité charnelle, de se poser en Vercingétorix. Et, fort curieusement, personne ne crie au fou. La salle serre les braies. Le capitaine de Gaulle, glacial à tous égards, semble de taille à incarner cette responsabilité. Ce curieux homme n'a pas peur de ce qu'il dit. Le phénomène chamanique s'amorce pour la première fois : il stupéfie mais, en définitive, on ne trouve pas cet énergumène engoncé d'une risible vanité. N'ayant posé aucun masque sur son visage, il fait taire les goguenards. Certain d'avoir été oint par la Providence, Charles se place d'emblée hors rang.

« Ceux qui accomplissent quelque chose de grand durent souvent passer outre aux apparences d'une fausse discipline. Après la bataille navale au Jutland et l'occasion manquée par les Anglais de détruire la flotte allemande, Lord Fisher, premier lord de l'Amirauté, recevant le rapport de l'amiral Jellicoe, s'écriait avec chagrin : "Il a toutes les qualités de Nelson sauf une : il ne sait pas désobéir !" »

Pensez qu'il assène ces mots-là non sur un plateau de télévision orné de godelureaux mécheux et goguenards d'aujourd'hui mais dans le temple même de la discipline, chez des intégristes du garde-à-vous auréolés des victoires de la Grande Guerre !

Pourquoi cette scène me fait-elle pleurer lorsque j'y songe (souvent) ? Les actes d'importance, magiques et chargés d'obscures résonances, ne sont-ils pas ceux qui nous arrachent des larmes sans qu'on les comprenne ? Ce 7 avril 1927 me poursuit et me talonne : il est donc possible de produire complètement son être au point de faire taire les ricaneurs professionnels, les jugeurs de tous poils et ceux qui ont choisi délibérément le rôle de spectateur, *à condition d'être totalement ce que l'on dit*. Oui, à cette condition, il est loisible d'afficher sans le moindre voile l'obsédant souci d'un but avoué que d'aucuns gardent habituellement au secret. Ce jour-là, Charles indique le chemin le plus efficace vers l'action de rupture : d'abord écrire son propre rôle en lui donnant les traits que requiert son objectif ; puis incarner sa création, s'en donner le port de tête, les gestes anachroniques, le langage même ; et enfin ne pas craindre d'afficher publiquement ce personnage, surtout devant ceux qu'il contestera frontalement ; car c'est de l'inflexibilité de ce tempérament que dépendra un jour le sort de la nation.

Pas une seconde, ce capitaine n'aura d'abord songé à se gagner des alliés, à réunir d'utiles subsides, à arracher une position d'influence ;

tout ce qui donne de l'efficacité passagère à l'agitation des ambitieux ; tout ce qu'accomplit avec diligence le petit personnel de l'Histoire, toujours en quête de ressources extérieures à soi.

Afin que tout soit clair entre lui et le destin âpre sur lequel il entend bientôt fondre, Charles rassemblera cinq ans plus tard les notes prophétiques de ces trois conférences dans son petit livre *Le Fil de l'épée*. Dès 1932, il clame tranquillement à la face du monde indifférent, par écrit cette fois, non ce qu'il va faire – il l'ignore encore – mais qui il va être pour maîtriser l'Histoire quand elle tournera au tragique (ce qui arrive toujours, on peut faire confiance aux hommes). Alors qu'il n'a rien accompli ou presque ! Dans ce texte fou, Charles, encore anonyme, décrit avec minutie le caractère hors du commun qu'il entend développer pour sauver la France ; comme si Bonaparte, frêle officier de l'armée royale, avait rédigé bien avant la Révolution un portrait fidèle de la manière d'être et de sentir de Napoléon. Le cas est assez unique en son genre, à la limite du conte. Jules César attendit tout de même d'avoir réduit les tribus gauloises pour rédiger *La Guerre des Gaules*. Charles, lui, anticipe les choses afin de lister méthodiquement les facultés dont il va avoir besoin pour nous. Son imagination fraie le passage au réel. Treize années avant que retentisse l'Appel du 18 juin, il trace à grands traits le portrait de l'homme-solution, du guerrier sauveur qui se dressera bientôt dans les brumes de Londres : « Face à l'événement, c'est à soi-même que recourt l'homme de caractère. »

Le résultat commercial est atterrant : sept cents exemplaires vendus !

Mais l'ahurissant Charles sait que la clef des batailles réelles réside dans ces victoires invisibles pour le nombre, celles qui se remportent dans le creuset des âmes invraisemblables qui, en vérité, sont les ressources ultimes des peuples assommés. Risible ? Pas certain. Chez lui, la vision *de soi* dominera toujours tout, alors que nos politiques subalternes de substance très volatile – les Albert Lebrun, les Hollande du moment, les René Coty de toujours – cherchent désespérément à *être la voix des autres* ; autant dire *à ne pas être*. Différence de nature plus que de degré. Charles sait, avec quelque raison, que c'est le fait d'acquérir un caractère trempé qui nécessitera son destin de même métal. Chez lui, l'homme public ne mangera jamais l'homme privé – comme avec les leaders de peu, bardés d'habitudes et de circonspection –, c'est même exactement l'inverse : l'homme privé absorbera et agrandira sans cesse l'homme voué à la nation. Il n'a pas pressenti son destin géant comme un illuminé de café bourré d'absinthe, il l'a découvert de l'intérieur en moine-soldat.

Tel qu'il le fabrique avec ascèse, son extraordinaire personnage ne pourra pas à un moment donné ne pas être placé au centre de la tragédie que préparent les renoncements accumulés des Français. Il se sait détenir en lui la puissance exorbitante dont notre pays, une fois laminé, aura un besoin urgent.

Et tout cela, cette ultime ressource nationale, en quel lieu la place-t-il pour qu'elle fructifie ? Dans un livre, lieu qui demeure sacré pour un Français de sa caste (qu'il trahira). Un ouvrage qu'invoquera, par exemple, le fidèle Flohic – son aide de camp, un ancien givré de la France libre – en 1968 à Baden-Baden quand il lui rappellera la nécessité de la surprise chantée dans *Le Fil de l'épée*. En pleine débandade, Flohic se référera à *un livre* pour décrypter la conduite de son chef. Quel pays formidable que cette France où le livre – même à tirage confidentiel – demeure parfois pierre angulaire des débats intérieurs et référence de l'action publique !

Mais ce qui me bouleverse totalement c'est que pour devenir l'homme de son texte de 1932, cette création qu'il appellera plus tard *le général de Gaulle* – en l'évoquant assez justement à la troisième personne, comme on nomme *Iago,* ou *Don Juan* –, Charles va devoir renoncer à sa sensibilité, renier sa classe d'origine et faire le sacrifice quasi total de son individualité la plus profonde ainsi que de l'essentiel de ses goûts politiques. Sa boussole personnelle, il la jettera toujours par-dessus bord !

Rétif à toute classification, le capitaine Charles ne s'est guère soucié de sa culture traditionaliste et au fond très misogyne lorsqu'il donna le droit de vote aux femmes en 1944. Un droit qui froissait le mari en lui et contredisait son idée unitaire et séculaire de la famille. Charles le colonialiste, abreuvé depuis l'âge des cerceaux de la mystique de l'Empire et ému par les taches roses sur les planisphères, fut, on le sait, le grand metteur en scène de la décolonisation, le vrai briseur du cadre impérial. Charles le grand bourgeois catholique donna sans hésiter la main aux communistes niveleurs et à Staline quand il fut question de rétablir la France dans sa grandeur initiale. Imbu de nationalisme (accolé à son nom, ce substantif est une litote), il construisit avec méthode l'Europe en passant outre à son antigermanisme flamboyant, au point de former avec Adenauer le modèle même de l'entente personnelle franco-allemande. Charles le reçut même chez lui, à Colombey, ce qui n'était guère dans ses façons réservées (Yvonne fermait volontiers la porte). Ayant baigné depuis toujours dans un milieu austère empreint d'émotions maurrassiennes, Charles fut l'homme qui donna tout son éclat à la démocratie restaurée et à la République refondée, purgée de ses impuissances. Charles le militaire se conduisit avec les officiers félons, en 1961, comme aucun antimilitariste n'aurait jamais osé le faire. Homme de dévotion nationale, il pardonna même à la France d'avoir négligé Clemenceau, plébiscité Pétain, insulté Richelieu et guillotiné Danton, l'inventeur de *la levée en masse*. Peu d'hommes de droite furent autant haïs par leur propre famille politique, au point que ses soutiens naturels n'hésitèrent pas à lui tirer dessus à de nombreuses reprises. Toujours, en leader appartenant à *la France dans ses profondeurs*, il fit abstraction de ce que son cœur passionné lui chuchotait. S'imposer vulgairement à la France, cette grande dame, alors que le référendum de 1969 venait de lui signifier qu'il avait simplement déplu lui aurait semblé grossier, indigne non de lui mais du premier des Français. Charles partit courtoisement de l'Elysée, sans y être contraint.

Présider n'est pas gouverner ; présider suppose d'avoir le souci non d'une majorité présente, par nature éphémère, mais de la France d'hier et de demain, celle qui reste à naître dans l'intérêt même de notre espèce. Le Premier ministre, tel que Charles l'a voulu dans son livre-testament le plus personnel – j'entends la Constitution de la Ve République –, est un journaliste aux prises avec le quotidien ; le Président, un romancier. La différence n'est pas affaire de domaines de compétence ; elle est affaire d'émotion. L'un travaille, l'autre crée. L'un doit se multiplier, l'autre s'isoler. Et si un marchand d'art ou pire un critique, même subtil, se fait élire à la place de Picasso, tout est perdu. Engoncée dans l'épicerie du présent qui l'obnubile et la tracasse, la France ne peut plus être elle-même. La grande dame devient gargotière, vindicative et haineuse d'elle-même. La devise nationale n'est plus alors un titre d'Evangile mais une manière de slogan publicitaire.

Quand nous souviendrons-nous que nous sommes portés par un passé qui nous oblige ; et qui nous interdit d'accepter que la France soit moindre dans l'Histoire ou que l'Etat se démette de ses fonctions spirituelles ? Ce pays se trahit toutes les fois qu'il ne produit plus une sorte d'étonnement universel. Certes, nous devons aux âmes et aux intelligences de notre planète la liberté, la défense sans concession de ce mot qui nous fonde ; mais nous devons plus encore : montrer combien la joie d'être homme – cette exportation invisible, faite de valeurs lumineuses – a de l'avenir partout sur le globe.

En 1988, je publiai un roman intitulé *Le Zèbre* qui est, je l'avoue aujourd'hui, une transposition dans l'ordre amoureux du *18 juin 1940*. Gaullien dans ses réflexes, mon cher Zèbre affirme dès la première ligne qu'il s'opposera à la fatalité : il refuse le déclin de la passion. Hostile à ce qu'une majorité tolère – collaborer avec l'inacceptable chute du désir, s'y résigner sans honte –, il dit *non* lui aussi, à sa manière. Même si les méthodes dont ce zèbre-là use pour contredire le destin sont évidemment sachatesques, la pulsion première du livre reste… charlienne ! Ma première éditrice, très informée de ma charlophilie qui l'horripilait, me pria de ne pas en faire état, au motif que le sex-appeal du vieux de Gaulle étant moins manifeste que le mien à l'époque. Ma frimousse devait, à l'entendre, me valoir immanquablement le regard sollicitant des femmes tandis que celle du Général ne fut, m'affirma-t-elle, jamais d'un très grand effet érotique sur les lectrices du magazine *Elle*. Prudente, elle jugeait commercialement judicieux de garder le silence sur cette inspiration trop sévère à son goût. Mes lectrices, supposées sensuelles et peu inspirées par la geste gaullienne, n'en surent donc rien ! La totalité de mes livres – même les plus légers – sont truffés de ces adaptations transparentes pour qui connaît la gravité de ma passion pour ce zèbre qui fut la France.

Quelle misère de pondre toujours des romans au lieu d'écrire directement sur le monde afin de rendre l'existence des autres plus belle, plus réelle ! Mais n'a pas qui veut accès à l'héroïcité de ses vertus…

Fessée numéro 3

Pour ne pas suivre l'exemple de Charles, grand pourvoyeur de mes songes, je me suis longtemps réfugié derrière la question un peu mesquine des moyens. Sans leviers politiques considérables, comment tirer le pays de ses ornières ? me disais-je.

Hélas, l'alibi ne tient pas. Les moyens n'ont jamais créé l'action.

En juin 1940, le nombre d'huiles qui auraient pu supplanter l'action de Charles est vertigineux. Au point que Churchill fut sidéré de ne trouver que ce sous-secrétaire d'Etat girafesque – aux allures désuètes de *Connétable de France* comme il l'écrivit – lorsqu'il envoya son avion personnel à Bordeaux pour ramener à Londres de gros poissons susceptibles de poursuivre la lutte à ses côtés au nom de la France. Examinons la liste, non exhaustive, de tous les impuissants notoires qui auraient dû lui voler la vedette et qui, de guerre lasse, se sont montrés, on le sait, inférieurs aux circonstances.

En premier lieu, scrutons le cas de ce cher maréchal Pétain qui, ne l'oublions pas, fut dans sa première jeunesse une manière de jeune loup hardi, d'empêcheur de penser en rond le métier des armes ; d'où sans doute la protection qu'il offrit longtemps à Charles au sein de l'institution militaire, avant que des brouilles très affectives et doctrinales, où le mépris eut sa part, ne les disjoignent. Mais enfin, le glorieux Philippe aurait pu transporter son autorité à Alger et jeter le tronçon de son glaive dans la balance du conflit qui s'annonçait mondial ! Eh bien non, il manqua au vieux Maréchal d'être animé par cette *idée de soi* aventureuse sans laquelle la force disponible est stérile. Aventureuse car il faut bien reconnaître qu'un tel saut dans l'inconnu, fort hasardeux et militairement couteux (les Stukas eussent évidemment mitraillé nos troupes en mer), supposait d'avoir le cœur bien accroché et, surtout, de savoir renoncer à ce que Charles appelait *les moyens ordinaires*. Mais enfin, à Alger la France eût été maîtresse chez elle ; ce qui aurait tout de même facilité la continuation de la lutte à mort, sans lui ôter son caractère d'âpreté incontournable.

Voyons ce qu'aurait pu et dû faire l'éminent général Weygand qui, le 20 mai, avait pris le commandement militaire suprême et qui, de ce fait, aurait pu marquer les esprits en décidant de poursuivre la lutte à outrance depuis Alger. Mais il n'est que de lire ce qu'en écrit Charles dans ses *Mémoires de guerre* pour comprendre que le prestige du raide Weygand ne servit de rien à l'issue de la bataille de France perdue : «Comme il [Weygand] n'avait jamais envisagé les possibilités réelles de la force mécanique, les effets immenses et subits des moyens de l'adversaire l'avaient frappé de stupeur. Pour faire tête au malheur, il eût fallu qu'il se renouvelât ; qu'il rompît, du jour au lendemain, avec des conceptions, un rythme, des procédés, qui ne s'appliquaient plus ; qu'il arrachât sa stratégie au cadre étroit de la métropole. » Son influence, on le sent, pouvait difficilement être utile à une France qui réclamait des cerveaux capables d'action novatrice, d'initiatives de rupture. Ce crétin très intelligent (les plus dangereux) s'accommoda du pire.

Penchons-nous à présent sur le cas du sympathique Paul Reynaud : charlophile de la première heure, passionné d'idées culottées et acquis à ses thèses militaires sur l'emploi offensif de divisions blindées. Reynaud était tout de même chef du gouvernement lors de l'effondrement tricolore, capable d'initiatives fermes mais... oui, mais sans doute n'osa-t-il pas imaginer une lutte originale en tout, très en dehors des fameux *moyens ordinaires*. Paul Reynaud ondoya devant l'hypothèse du déshonneur, hésita à violer les engagements forts pris auprès des Britanniques (pas de paix séparée) et capitula enfin au motif que l'on ne pouvait « abandonner la population à elle-même, sans personne pour traiter avec l'occupant, au risque de voir s'exercer de terribles représailles sur les familles de ceux qui poursuivraient la lutte dans l'Empire». Le chef du gouvernement n'écouta pas ceux qui, comme l'excellent diplomate Margerie, évoquèrent l'exemple de Gambetta en 1870 dont la résistance s'avéra certes peu efficace mais qui légua aux générations suivantes une légende qui eut, on le sait, sa part dans la victoire de 1918. Sans doute Reynaud n'était-il pas assez écrivain pour imaginer la France libre en meublé à Londres, avec toilettes à l'étage, inventant de toutes pièces un Etat aux allures de radeau. Ah, comme il semble difficile de placer sa pensée hors du cadre donné par les institutions et les habitudes mentales que l'on finit par prendre pour des réalités quand ce ne sont que des fantômes!

N'oublions pas l'amiral Darlan bien sûr, illustre chef de notre flotte intacte, réputé germanophobe et habitué aux plus rigides saillies nationalistes. Son ralliement aux escadres britanniques avec la deuxième flotte du monde et toute la dévotion de ses marins eût évidemment été d'un tout autre poids que celui de l'auteur du *Fil de l'épée* qui n'apporta à Londres que ses maigres effets personnels, quelques défraiements procurés par Paul Reynaud et une clef pour dormir au sec dans un pied-à-terre londonien. La maîtrise des mers par Londres eût alors été totale, souveraine, indiscutée. Mais Darlan (peut-être aussi idiot que Weygand) se méfiait d'Albion et ce patriote au torse très bombé se révéla… hardiment collabo ! Ainsi va l'illusion de la puissance… La sienne, Darlan l'annihila avec méthode et une curieuse dignité. On le vit même donner l'ordre inattendu de saborder ce qui lui restait de flotte tricolore en rade de Toulon ! Plutôt que de la remettre à disposition des Anglais… Ah, quand on est un con intelligent, on l'est parfois jusqu'au bout !

Reste le très glorieux général Charles Noguès, totalement oublié aujourd'hui alors qu'il serait bon, me semble-t-il, que les écoliers français étudient davantage les hommes de dérobade et les grands lâches de notre Histoire. L'Empire romain ne dura-t-il pas aussi longtemps que ses enfants étudièrent le détail des défaites cuisantes de leurs légions ? Ce détail pédagogique ne peut être négligé…

Résident général de la France au Maroc, ce brave Noguès disposait en juin 1940 de troupes étoffées, remarquablement entraînées, ainsi que d'une aviation moderne intacte. L'homme, de belle prestance, ne passait pas pour un paltoquet. Les Anglais eux-mêmes faisaient grande confiance à ce potentat de l'Atlas, au point de se tourner spontanément vers lui quand il devint clair que Pétain ne traverserait jamais la Méditerranée pour combattre. Le 19 juin 1940, Charles se mit même en rapport avec ledit Noguès en lui proposant de servir activement *sous ses ordres*. Vous m'avez bien lu ? Sans hésiter, Charles lui proposa de devenir le chef suprême de la Résistance nationale au sein du futur Comité national français ; mais ce pauvre Noguès, comme tous les indécis drapés de dignité, commença par poser des conditions de forme au lieu d'agir, finassa pour se donner le temps d'apprécier l'évolution des choses… Il apprécia en effet et, n'écoutant que sa fierté qui ne lui disait rien, ravala vitement ses velléités bruyantes de résistance. Très armé, Noguès ignora superbement sa propre puissance et se rallia à la légalité vichyste en censurant avec ardeur de Gaulle dans toute l'Afrique du Nord et en appliquant à la lettre les consignes de résistance du Maréchal lors du débarquement anglo-américain de novembre 1942. Avant de prendre le vent… Toute la qualité d'un fusil réside dans le doigt qui actionne la gâchette. Ah, si Noguès avait eu le goût de l'aléatoire qui reste, quoi qu'on dise, la qualité centrale des grands stratèges.

De tous les féodaux de l'Empire à qui Charles adressa des messages désespérés de ralliement ou de soumission volontaire, le général Catroux, personnage fastueux et hors du commun, de loin son supérieur dans l'échelle des grades militaires, est le seul qui vint en octobre 1940 à Fort-Lamy lui faire spontanément allégeance, en reconnaissant – avec une humilité qui grandit ce seigneur – que de Gaulle s'était « investi d'un devoir qui ne se hiérarchisait pas ». Les autres se lièrent eux-mêmes les mains avec soin, restèrent une poussière humaine sans consistance.

N'est donc pas qui veut le personnage d'airain et sans moyens du *Fil de l'épée*... Le très désargenté Charles, lui, possédait l'essentiel : l'impulsion interne, la capacité à se prendre soi pour point d'appui. Cet individu était son propre ressort, à la fois coque, voile et vent. Sitôt débarqué à Londres, il se fit ouvrir à la banque d'Angleterre un compte *à son nom propre* – en assumant personnellement les débits de la nation en ligne – pour financer à crédit sa petite affaire qui, on le sait, fit florès : *la France libre*. Une PME lourdement endettée qui allait maintenir la France éternelle dans la guerre à toute force. Lui seul, le très impécunieux et très déterminé monsieur de Gaulle, avait alors la signature de la France combattante à la banque d'Angleterre. Financièrement, sa personne physique se confondit pendant toute la guerre avec la personne morale de la France. Aux yeux de Churchill, sa seule parole valait caution. Situation effarante ! Le délicieux Disraeli eût été enchanté par le romanesque achevé de ce détail. C'est difficile à croire mais c'est ainsi. Quel homme politique d'aujourd'hui accepterait de prendre à son compte les dettes de la France ? Charles démarra les choses sans se poser une seconde la misérable question de ce qu'il appelait déjà *l'intendance*. Son découvert (personnel donc) fort conséquent fut d'ailleurs remboursé rubis sur l'ongle au Trésor britannique à la Libération, avant la fin des hostilités, dès que la France put rentrer chez elle à Paris. Charles n'était pas homme à ne pas payer scrupuleusement, et sans délai, les dettes de la patrie de Colbert. Il tint parole.

Cette élégance m'arrache des frissons.

Charles avait-il médité l'exemple de Bonaparte, cet autre acrobate de la finance qui, pour conquérir l'Italie, n'employa guère les crédits d'un Directoire exsangue ? A la tête de son armée d'Italie, le Corse fonça sur sa proie, l'opulente Lombardie dont il se saisit des richesses pour, ensuite, envoyer des fonds à Paris ; ce qui opéra un très curieux renversement : le général Bonaparte devint alors, un temps, le grand argentier d'un Etat français aux abois, son actionnaire majoritaire en quelque sorte. Certains anormaux n'hésitent pas à sortir du cadre…

Fessée numéro 4

Ma résistance à de Gaulle fut longtemps compliquée du fait que lui consentit à voir le réel, à appréhender la totalité du réel ; alors que pendant des années je me suis, comme on dit, *raconté des histoires*. De très charmants récits. Ce point crucial nous a particulièrement disjoints.

Le roman très compliqué de mes rapports avec la réalité me jetait dans un naturel anti-gaullisme. Après la guerre, l'habitude avait été prise par ma tribu de se reraconter le film de ce qui nous était bel et bien arrivé à Vichy pour le rendre admissible ; afin de supporter l'intolérable : le passé scélérat de mon grand-père, tout de même directeur de cabinet de Pierre Laval. Afin de ne pas suffoquer de honte, il fallait un filtre entre nous, les Jardin, et les faits vérifiables, parfois implacables. Tous, nous étions bien issus d'un déshonneur indélébile, de l'action d'un très haut fonctionnaire qui, perché au sommet de l'exécutif, avait admis la politique raciale d'un régime abject. Sans jamais démissionner, pas même au lendemain de la grande rafle du Vél' d'Hiv.

Et voilà que moi son petit-fils, héritier blessé d'un nom sali, je tombais sur un drôle d'homme, le fier Charles, qui non content d'avoir été l'adversaire politique et moral de ma famille, se révélait un champion toutes catégories de la lucidité – notre ennemie intime. Charles, c'est aussi et surtout cela : une aptitude invraisemblable à admettre l'inadmissible, à énoncer clairement l'indicible, à digérer l'inavalable vérité.

Dans *Le Fil de l'épée*, il écrit : « Ce qu'Alexandre appelle son *espérance*, ce que César appelle sa *fortune*, Napoléon son *étoile*, n'est-ce pas simplement la certitude qu'un don particulier les met, avec les réalités, en relation étroite pour les dominer ? » Tout est dit : cet homme de gros temps entretient avec le réel un rapport puissant, non pour composer avec ses diktats mais pour le dominer. Ce réaliste à l'échine raide est exactement le contraire d'un adepte de la *Realpolitik* finasseuse !

Au cours des années 30, véritable ennemi de la cécité nationale, plaçant avec fermeté sa trajectoire sous le signe de la vérité qui rend libre, Charles voit nettement tout ce que notre classe politique autoréférentielle et pitoyable refuse d'admettre : la dangerosité de notre stratégie défensive, notre incapacité à nous convertir à l'arme blindée offensive ; inertie mentale et militaire qui laissa évidemment les mains libres à Hitler en Europe centrale.

Pire : dès qu'un politique de renom accepte d'entendre ce qu'il explicite dans son ouvrage clef *Vers l'armée de métier*, l'imprudent se garde étrangement d'en tirer des conclusions pratiques ; comme si reprendre la main sur le haut commandement verrouillé par Pétain était hors de portée d'un gouvernement républicain. En 1936, lorsque le fin Blum se range presque à l'analyse de Charles et accroît enfin les crédits militaires, c'est en définitive… pour surfinancer la ligne Maginot ! Un système qui mène – et l'intelligent Léon ne peut l'ignorer complètement – droit à l'étrange défaite qui, déjà, nous tient en joue. Pourtant, Léon Blum eut accès à la vision claire de Charles de ce qui aurait dû être (des divisions de tanks donnant la maîtrise de l'initiative) en face de ce qui était (un imbécile mur de béton élevé sur la frontière). En sortant d'une entrevue nocturne à Matignon avec Blum qui le consultait, Charles lâchera atterré : « Capacité d'écoute : 100. Capacité de décision : 1. » Même le Front populaire, moins tenu culturellement par la caste militaire, n'osera pas ouvrir grands les yeux. On n'a jamais que la sécurité dont on s'est rendu digne !

Rêveur, Charles n'est pas – contrairement à moi pendant longtemps – un évadé du réel ; c'est très clairement un rêveur lucide qui envisage froidement les faits avant de leur tordre le cou. Dans son cerveau ivre de mouvement tout jugement est déjà un acte, jamais un constat. Avec Charles, j'ai appris qu'il est possible en France – même si l'air du temps est à l'aveuglement collectif – de *ne pas jouer le jeu d'une société du déni* ; quelle que soit la dureté de ce qu'il faut admettre pour redonner à notre nation enlisée une marge de liberté. Dans le sillage de cet homme de vigie qui voit loin, et qui ne craint pas d'être marginalisé pour cela, j'ai fini par intégrer l'idée que si l'on se considère soi-même comme un acteur de poids et non comme un commentateur en retrait des choses, il devient possible de faire face aux vérités les plus angoissantes.

Seule cette aptitude – pas évidente ! – permet de lever les voiles dont on se protège pour ne surtout pas voir ce qui nous glace.

Sous ce rapport-là, l'épisode de Mers el-Kébir constitue un paroxysme. Ce drame militaire révèle jusqu'où Charles osa aller, avec un courage fou, en refusant d'écouter sa fibre nationale. Le 3 juillet 1940, malgré les assurances de Vichy (très fragiles, pour ne pas dire irréalistes) de ne jamais livrer la puissante flotte française à Hitler, l'Angleterre pouvait légitimement craindre que l'ennemi réussît, un jour ou l'autre, à disposer de nos navires de guerre, parmi les plus modernes du monde. Les bateaux blindés se trouvaient à quai, à portée des troupes d'élite allemandes. En bon Anglais qui jauge son risque, Churchill n'hésite pas. Un tel mécompte n'est même pas envisageable pour ce Nelson obèse. Il expédie discrètement une forte escadre à la rencontre de la flotte française qui mouille près d'Alexandrie dans la rade de Mers el-Kébir ; celle-ci, totalement surprise, refuse de rejoindre des ports alliés, anglo-saxons ou français des Antilles. Le bouledogue la fait aussitôt couler, assurant ainsi la sûreté de son île et portant par là même un coup terrible à l'action encore naissante de Charles. Quel Français pourra encore de gaieté de cœur, et sans écorner son honneur, rejoindre la France libre alors que la flotte de Sa Majesté vient de canonner à bout portant nos hommes et nos bâtiments ?

L'espace de quelques jours, Charles, désemparé, meurtri, est sur le point de tout abandonner et, dit-on, de se retirer au Canada. Le 8 juillet, il parle enfin ouvertement au micro de la BBC qui lui est fort élégamment mis à disposition. Cette déclaration reste une gifle magistrale à ce qu'il y a de pusillanime et de biaiseux en moi, en chacun d'entre nous. Tous les 8 juillet je la relis. Rien n'est esquivé. Aucune contradiction. Ce texte prodigieux reste l'exemple même de la lucidité supérieure, *sans que rien soit nié* : l'antithèse d'une parole dictée par une idéologie. Charles parle comme s'il était convaincu que la vérité pleine et entière est bien ce qui tient le monde ensemble et qui le sauvera.

Dans cette réaction radiodiffusée, Charles se montre d'abord gifleur avec ses alliés britanniques. Il ne dissimule rien de son émotion française, de son triste dégoût, de son mépris pour la façon dont certains à Londres osent se glorifier du procédé sournois et lâche qui a permis leur victoire de Mers el-Kébir ; mais, mettant au-dessus de tout les intérêts permanents de la France, au-dessus même du sort des malheureux mille deux cent quatre-vingt-dix-sept marins français tués dans un quasi-repos, il ajoute qu'en dépit de sa douleur nue et de sa colère, il juge légitime et acceptable cette décision de Churchill : *le devoir consistait toujours à poursuivre le combat.* Si l'Angleterre tombait, Charles le savait, c'en serait alors fini de la France ; mais comme il l'a lui-même écrit : « C'était, dans nos espoirs, un terrible coup de hache. Le recrutement des volontaires s'en ressentit immédiatement. Beaucoup de ceux, militaires ou civils, qui s'apprêtaient à nous rejoindre, tournèrent alors les talons. » Stratège avant tout, capable de poser sur sa tête nue mille couronnes d'épines et d'avaler autant de nids de vipères, il assume son approbation qui subjugue Churchill ; au point que ce dernier le reconnaît alors pour ce qu'il est, un chef malcommode mais nécessaire.

Pour Charles, la vérité seule est libératrice. Elle est l'article premier d'une opinion politique de bon rendement.

Le 18 juin 1940, lorsqu'il se place devant son micro de la BBC, l'analyse qu'il lance sur les ondes balaie toutes les cécités françaises, la sottise de nos politiques qui, pris dans la déferlante des troupes allemandes, croient à l'apparence de l'événement qui les submerge et surtout à sa durabilité. Subjugués par ce phénomène qui passe leur compréhension, prisonniers de l'instant, ces derniers cessent de *voir les faits tels qu'ils sont.* Glacial et pénétrant, se ruant à la vérité, Charles s'écrie à la radio : « La France n'est pas seule ! Elle n'est pas seule ! Elle n'est pas seule ! Elle a un vaste Empire derrière elle. Elle peut faire bloc avec l'Empire britannique qui tient la mer et continue la lutte. Elle peut, comme l'Angleterre, utiliser sans limites l'immense industrie des Etats-Unis. Cette guerre n'est pas limitée au territoire malheureux de notre pays. Cette guerre n'est pas tranchée par la bataille de France. Cette guerre est une guerre mondiale ! » Pourtant, au même moment, l'ambassadeur américain à Londres, Joseph Kennedy (le père du futur Président), semble très épaté par le nazisme ; peut-être même séduit. Cette forte tête sans principes n'envisage pas une seconde l'irruption de son pays en armes dans la tourmente de feu qui dévore l'Europe ; mais Charles, en joueur qui joue ses cartes à coup sûr, calcule que les Etats-Unis ne pourront éternellement se tenir en retrait. Il lit dans les faits encore invisibles et, consentant à *tout voir*, règle sa conduite sur les événements en puissance dans l'écume de ce qui se déroule encore. Charles ne croit pas ce que ses yeux constatent mais ce qu'il anticipe déjà. Ce qui va advenir l'intéresse davantage que ce qui se passe à la surface bouillonnante de l'actualité. Et comme pas grand-chose – aucune école de pensée, aucun préjugé de milieu, aucune peur – ne fait écran entre ce qu'il observe et lui, il voit réellement. Dès lors, son entière liberté de jugement le sauve des illusions sinistres du présent qui masque l'avenir. On est là au cœur de ce qui fonde ce que j'appellerais le *charlisme mental,* celui qui m'a le plus charmé et dérangé : l'acceptation sans réserve du vrai profond. Ce type est fondamentalement un extrémiste de la lucidité. Charles ne se protège pas, comme tout un chacun, de l'acide vérité des choses. Il n'a pas besoin de recourir au déni pour surmonter des stress majeurs ou tout simplement mieux vivre. Le personnage supérieur et utile qu'il a créé – celui qu'il désigne avec distance comme *le général de Gaulle* – ne souffre pas de cette soif d'apaisement qui nous limite tous dans notre accès à la réalité.

Quand Roosevelt le méprisera, Charles n'en aura cure malgré quelques agacements de surface. Il voit l'Amérique durable derrière les rebuffades de l'hôte provisoire de la Maison-Blanche, celle dont les intérêts constants domineront à terme l'opinion éphémère d'un Président, fût-il considérable. Charles ne croit jamais au présent. Lorsque les Soviétiques tenteront d'imposer le nom de l'*URSS,* Charles continuera à user du vocable *la Russie,* signifiant ainsi qu'il sait parfaitement quelle réalité il voit par-delà les apparences du moment. Les mots que Charles choisit exprimeront toujours son refus de marcher aux illusions qui bernent le commun des mortels et la presse qui, par déformation professionnelle, se fie au présent avec une stupéfiante naïveté. Le 18 juin 40, on peut dire que ce clairvoyant ne s'est pas fait avoir par l'apparence (assez convaincante) de la défaite. Souverainement, il l'a reconnue pour passagère.

Le jour où j'ai décidé avec chagrin et soulagement de publier mon livre en colère sur Jean Jardin, mes *Gens très bien* – le journal de bord de ma longue cécité –, je me suis totalement charlisé. En faisant violence à mon inclination tenace pour les fables ! Non pas parce que mon grand-père servit diligemment un Etat vil qui avait condamné Charles à mort mais parce que j'ai rompu, au plus profond de moi, avec la possibilité même de recourir au déni.

Fessée numéro 5

Revenons sur la manière frappante qu'eut de Gaulle de nommer les êtres, les institutions qu'il défia et les événements qu'il s'efforça de dominer. Décentrés, la plupart des chefs d'Etat acceptent sans aucune gêne de faire usage du vocabulaire usuel de leurs contemporains et de la presse ; ce qui est le signe même qu'ils ont intégré l'inertie du grand nombre, peu porté à descendre dans l'eau froide de la lucidité. Ils ne résistent pas à la langue banale du journal, qu'elle soit radiophonique, écrite ou télévisée. Charles, lui, n'a jamais fait sien ce langage impersonnel, sans effet sur le réel, ce babil trompeur qui, au fond, jaillit du gosier de spectateurs-nés. En auteur très sûr de son mot, cet auteur-acteur employa des termes toujours éclairants qui contestent la part d'illusion qui drogue sans répit les gens effrayés par la clarté.

Cela me saute aux yeux depuis que j'écris, depuis que j'ai commencé à récuser la langue attiédie et confuse que notre époque nous sert à foison. Les trouvailles étincelantes de Charles pullulent, ressuscitant des termes qui se morfondaient dans notre mémoire paresseuse, des mots endormis et chatoyants qu'à chaque fois il tire d'une boîte à oubli. Charles désopile, on se pourlèche : les *politichiens* en prennent pour leur pelage, la *chienlit* fait éclater la réalité du merdier de mai 1968, les *farfadets* et les *trotte-menu de l'abandon* sont démasqués, les *pisse-vinaigre* exposés, les *coureurs de maroquins* ridiculisés, les *présidents couche-toi-là* giflés en pleine lumière, les *turlupins* se trouvent grotesquisés aux yeux de tous, *les comités Théodule* enfin correctement nommés. Sa verve étonne, dissout l'illusion et révèle crûment ce qui est, en stigmatisant les gribouilles. Dans ses carnets, on trouve tout un lot de perles de lucidité : *politiciens de l'impuissance, radiodiffuseurs du sommeil.* Deux lignes plus bas : les *baladins de la politique,* la *politique de la guitare…*

C'est en lisant l'une des premières déclarations de Charles où il désigne l'ONU par l'expression le *machin* que sa logique contestataire m'est apparue comme une évidence. Cet écrivain ne cherche pas le pittoresque propre à séduire les amateurs – comme on l'a trop cru – mais le dévoilement du vrai, la destruction de l'imposture avec ce qu'il faut de familiarité majestueuse. Subjugué, je me suis alors dit : ce type chauve avec ses oreilles de vampire énonce tout simplement la vérité. L'ONU n'est pas l'Organisation des nations unies. Lesdites nations n'ont absolument rien d'uni ! L'usurpation d'identité est patente. De plus, dans les cas de bisbilles graves, ce machin ne marche pas. L'acronyme est donc un double mensonge.

A chaque étape de sa vie ponctuée de ruptures, Charles usa dans sa littérature parlée de termes clarificateurs qui nous informaient de son degré – toujours élevé – de sagacité ; comme s'il avait craint par-dessus tout que le premier des Français pût être publiquement victime de la cécité colportée par les médias et les vieux partis chargés d'œillères diverses ou d'idéologies pourvoyeuses d'a priori ; comme s'il avait voulu également affirmer que *le général de Gaulle* n'était en rien un journaliste mais bien un écrivain créateur de sa langue propre, une sorte de patois agissant et non pas conçu pour le commentaire. Son langage est déjà glaive.

Dès son appel du 18 juin 1940, Charles nomme tout de suite le personnel de Vichy sur les affiches qui seront bientôt placardées en France : « Des gouvernants de rencontre ont pu capituler, cédant à la panique, oubliant l'honneur, livrant le pays à la servitude... » *Des gouvernants de rencontre* au lieu de l'insipide et bêtasson *le gouvernement* que l'on trouve dans tous les canards affolés de l'époque ! Comment mieux exprimer la vérité de la confusion qui domina alors les esprits de ceux qui se jetèrent de manière hasardeuse aux pieds d'un vieillard ? Et l'incapacité du vouloir qui caractérisa ces *gouvernants de rencontre* ! L'expression n'épingle pas, elle exécute. Le mois suivant, Charles aura pour la valetaille collaborante ces mots implacables : « Les vieillards qui se soignent à Vichy emploient leur temps et leur passion à faire condamner ceux qui sont coupables de continuer à combattre pour la France. »

Les vieillards qui se soignent à Vichy... Qui dit mieux ?

Relisons sa description du soi-disant pouvoir qui logea au bord de l'Allier pendant quatre ans. Tout respire le franc bonheur de crier le vrai. Chaque mot arrache les voiles dont notre déshonneur se para alors pour bâillonner l'espérance : « Le 17 juin 1940, disparaissait à Bordeaux le dernier gouvernement régulier de la France. L'équipe mixte du défaitisme et de la trahison s'emparait du pouvoir dans un pronunciamiento de panique. Une clique de politiciens tarés, d'affairistes sans honneur, de fonctionnaires arrivistes et de mauvais généraux se ruait à l'usurpation en même temps qu'à la servitude. Un vieillard de quatre-vingt-quatre ans, triste enveloppe d'une gloire passée, était hissé sur le pavois de la défaite pour endosser la capitulation et tromper le peuple stupéfait… »

Lorsqu'en avril 1961 des militaires eux aussi *enveloppés d'une gloire passée* et agrippés au passé se comportent en factieux à Alger, en fomentant ce que Charles appellera un *pronunciamiento,* ils se trouveront brusquement démasqués, et pour tout dire foudroyés par les mots laconiques qu'il prononça à la télévision le 23 avril au soir : « Ce pouvoir a une apparence : un quarteron de généraux en retraite ; il a une réalité : un groupe d'officiers partisans, ambitieux et fanatiques. »

Un quarteron de généraux en retraite… Tout est résumé par cette image concise, vacharde et pertinente ; même si, on le sait, Charles commit ce jour-là une légère faute de français (un *quarteron* est une unité de mesure représentant un quart ou un ensemble de vingt-cinq éléments et non un *quadrille*). Ces six mots assassins résonnèrent comme autant de coups de pistolet dans la nuque de ces prétoriens sans unité de vues. L'avenir de leur insurrection sans issue ne dura pas. La même année, d'autres adversaires de sa politique allèrent au tapis lorsqu'il dénonça laconiquement, avec ce qu'il faut de mépris, *les équipes diverses de la hargne, de la grogne et de la rogne*... La formule impeccable lapida les impétrants et lamina tout ce qu'il y avait en France de partis pris, d'intérêts particuliers embusqués, d'*affairistes sans honneur* et de routines liguées. Ce trait n'était pas sans en rappeler un autre, efficace et persifleur, de 1949 où il était déjà question de *l'équipe de la médiocrité, qui est aussi celle du chloroforme*...

D'autres fois, c'est la sobriété même de l'expression de Charles, de toute sûreté, qui recadre les esprits. Quand se tient en octobre 1942 une conférence de presse où on le prie de donner son sentiment sur le fait, capital, que les Alliés reconnaissent enfin le gouvernement de la France libre, chacun s'attendait à des remerciements appuyés, à un minimum d'effusions. Mais Charles hausse à peine les sourcils et déclare brièvement aux journaux anglo-saxons : « Le gouvernement français est satisfait qu'on veuille bien l'appeler par son nom. »

Puis il décampe.

Quelle netteté ! Ce n'est pas un homme, ce sont des nerfs.

Pas question de laisser entendre devant la presse et l'Histoire que la France aurait eu besoin d'un quelconque regard extérieur pour être pleinement souveraine ou que lui, le général de Gaulle, tiendrait une parcelle de son pouvoir de l'étranger. Ce jour-là, personne n'obtint de lui plus d'éclaircissements, ne parvint à ébranler sa correction raide. L'épée de la France n'avait pas à être forgée par Londres ou Washington – ce qui restera toujours valable. En dire davantage lui sembla sans doute d'une suprême vulgarité. Le mot juste, vous dis-je.

Comment mon bon Sacha a-t-il pu ne pas succomber à un tel auteur-acteur, à pareil verbe mis en scène, à cet art d'impressionner l'univers ? Pourquoi diable n'a-t-il pas surmonté son amertume née à la Libération ? Etrange comme les grands zèbres d'une époque ne se reconnaissent pas toujours. Charles sembla, lui aussi, ne pas avoir saisi combien Sacha et lui étaient semblables dans leur façon de se créer eux-mêmes, ni s'être avisé de l'importance cardinale pour les lettres françaises de l'auteur Guitry. Désolant que Louis XIV n'ait pas vu passer Molière… Pourtant, Charles Ier ne manquait pas d'humour. Ah, si j'avais été là, frémissant dans Paris, pour les présenter (je dérape) ! La rencontre aurait pu avoir lieu un soir sur la terrasse du Grand Trianon où Charles recevait parfois les monarques et les magiciens du siècle. La scène eût été si belle, échauffée d'intelligence, ponctuée de répliques sarcastiques et truculentes ! Que n'ai-je pu leur faire comprendre leur condition commune de zèbres aux rayures si tricolores ! De Gaulle se découvrant frère de Sacha Guitry... Il faudra bien que je l'écrive un jour, cette scène burlesque, pour remédier à certaine déficience de l'Histoire qui, parfois, manque à tous ses devoirs...

Fessée numéro 6

Aujourd'hui j'ai rendez-vous avec Charles et Jean (Jardin).

Etrange rencontre dans le seul lieu de Paris, assez discret, où mon aïeul imaginaire et l'homme dont je tiens mon patronyme (et ma honte) se croisèrent. L'un fut condamné à mort et déchu de la nationalité française par le régime que servit l'autre, juché au sommet du cabinet Laval. Pendant l'Occupation, Jean joua parfois double jeu en recevant certains émissaires de l'autre ; mais sa police livra sans sourciller à la Gestapo ceux qu'il jugeait trop communistes. L'un composa, l'autre claqua la porte à la petitesse. Jean reçut ponctuellement les rapports de la Milice, Charles ceux des réseaux de la Résistance (moins ponctuels). Jean serra souvent la main au patron du Commissariat général aux Questions juives (directement rattaché au cabinet de Laval) ; le Lorrain ne se serait pas permis une telle mocheté. L'un ne rechigna pas à dîner avec Carl Oberg, le chef supérieur de la SS et de la police pour la France, l'autre avec Jean Moulin ou Pierre Mendès France. L'un fut le bras droit du déshonneur, l'autre la France. Quel chagrin…

Mais après la Libération, tous deux fréquentèrent le même hôtel de belle tenue, dans le XVIe arrondissement, à deux pas de la place de l'Etoile qui ne portait pas encore le nom de Charles. Le très prudent Jean, craignant d'avoir une adresse française (alors qu'il se tenait prudemment en Suisse), se rendait deux jours par semaine à Paris. Il y descendait à l'hôtel La Pérouse où il disposait la plupart du temps de la même suite, au deuxième étage. De son séjour à Vichy lui était restée l'habitude de travailler et d'exercer son influence dans les palaces. Charles, lui, résidant à la Boisserie en Lorraine, vint également entre 1947 et 1958 deux jours par semaine, environ, dans la capitale pour y garder des contacts en établissant ses quartiers à… l'hôtel La Pérouse. Au deuxième étage, suite 23 puis 24, celle qui jouxtait immédiatement l'appartement de mon grand-père. C'est à peine croyable mais c'est ainsi : le directeur de cabinet de Laval fut après guerre son voisin d'étage. A ma connaissance, ils ne se reçurent jamais mais entretinrent des rapports fort civils dans les couloirs ou lorsqu'ils prenaient le même ascenseur. Le même valet de chambre d'étage les servit, un certain Albert qui se prétendait *gaulliste* (informateur de police ?). Cela me trouble que les mêmes femmes de chambre aient lissé leurs draps, nettoyé leur baignoire et vidé leur corbeille à papier. On se croirait chez Guitry. Puissance occulte, Jean conseillait la classe politique de la IVe République, Charles la combattait. Une cloison les séparait.

Aujourd'hui, l'hôtel La Pérouse a été transformé en bureaux impersonnels ; ce que l'on appelle hélas *business center.*

Pour une nuit, j'ai loué la chambre d'angle de l'hôtel Raphaël, au deuxième étage, qui donne directement sur l'édifice qui fut l'hôtel La Pérouse. Curieusement, l'ancienne enseigne noire est encore fixée à l'entrée du bâtiment. De ma fenêtre qui donne sur l'angle de la rue Jean-Giraudoux (un ami de jeunesse de Jean) et de la rue La Pérouse, je vois nettement les deux appartements contigus de Charles et de Jean Jardin, mes deux grands-pères. En me penchant, j'aperçois dans la rue La Pérouse, à deux numéros de distance, l'hôtel particulier qui appartint longtemps à la famille juive de ma femme (les Oppenheim) – très liée par mariage à d'illustres figures du vichysme ; la France élitaire, quoi. Mais mon regard revient machinalement sur ces deux tanières du pouvoir occulte. Certaines fois, des renards durent passer d'un petit salon à l'autre, de Jean à Charles – Antoine Pinay et Maurice Couve de Murville notamment, deux vieilles connaissances de Vichy qui, comme Jean Jardin, eurent leurs entrées à l'hôtel du Parc. Le 31 mai 1958, lorsque Charles, pressenti pour former un gouvernement, le dernier de la IVe République, reçut à l'hôtel La Pérouse les présidents des groupes parlementaires, juste avant de les néantiser avec courtoisie, grand-père était-il derrière la mince cloison ? Dans le reflet de mes fenêtres, mon image se superpose sur celles de leurs salons discrets. Et je me demande ce qui distingua radicalement Jean Jardin de Charles de Gaulle.

Leur manière d'être, à n'en pas douter.

Raisonnable, Jean ne confondit jamais sa vérité et la réalité, hélas.

Charles, lui, s'y appliqua avec constance. Le 26 août 1944, en début d'après-midi, le général de Gaulle descend comme dans un demi-rêve l'avenue des Champs-Elysées. Le visage de Charles a cette part d'illumination intérieure qui sied aux improbables lorsqu'ils rencontrent leur songes. Arrivé devant Notre-Dame, une fusillade éclate. Un cameraman filme courageusement pendant quelques minutes. On voit la foule paniquée qui se jette à terre, à couvert. Les visages des Parisiens gagnés par une peur légitime regardent ensuite en direction des toits pour localiser les tireurs isolés. Imperturbable,

Charles continue, sans ciller, sa progression vers l'intérieur de la cathédrale. Sur ces images stupéfiantes, on voit bien qu'il évolue dans sa vérité et non dans la réalité dangereuse.

Quand en 1950, le père François de Gaulle, son neveu devenu prêtre, se prépare à partir en Afrique, ce dernier prend rendez-vous avec son oncle déjà entré dans l'Histoire pour lui faire ses adieux. Le jeune François a vingt-huit ans, Charles soixante. Il le reçoit à l'hôtel La Pérouse dans sa suite. L'oncle illustre et le neveu parlent de la Haute-Volta et soudain la scène bascule. Ecoutons le témoignage ahuri de François de Gaulle : « Le voici qui s'agenouille devant moi, et le front baissé vers le sol, les mains jointes, me demande ma bénédiction. Je suis stupéfait ! » Charles ne voit pas la réalité physique de son neveu, du tout jeune homme qui lui fait face. En chrétien, il aperçoit *pour de vrai* le représentant du Christ devant qui l'humilité est une obligation. Si Albert, le valet de chambre d'étage du La Pérouse, était entré et avait surpris cette scène, sans doute aurait-il été saisi de bégaiement.

A Vichy en 1942, Jean Jardin crut au réel asphyxiant, au réel blême auquel croyaient quarante millions de Français. Il ne sut pas s'en décoller pour regagner les hautes sphères de sa propre vérité.

On connaît la suite, l'affreuse scoliose morale qui fit de lui un champion du pire, un type qui collabora avec l'infect réel. Ce qu'il ne faut jamais faire.

Atterré de porter son patronyme, je me penche vers ma serviette en cuir qui contient des exemplaires usés des *Mémoires de guerre*. Emu dans cette chambre du Raphaël, j'improvise alors quelques fausses dédicaces en imitant l'écriture et la signature ample de Charles (pour cela je suis imbattable). Ces dédicaces lestes laissent toutes entendre, à mots pudiques mais sans ambiguïté, que Charles aurait connu charnellement la grand-mère (supposément coquine) de tel ou tel de mes amis que j'affectionne particulièrement. Dès demain, j'irai glisser subrepticement ces volumes falsifiés dans les bibliothèques de mes proches afin qu'un jour, tirant ces ouvrages, ces derniers se demandent avec étonnement si dans leurs veines ne coule pas un peu du vieux sang de Charles.

Je veux multiplier le nombre de ses descendants, coûte que coûte.

Sacha, écoute-moi !

Sacha, écoute-moi sérieusement. Ce que Charles parvint à accomplir à Londres le 7 août 1940 ne peut pas te laisser indifférent.

Il y a dans ce pur moment d'extravagance gaulliste – sans doute plus vertigineux encore que *le 18 juin* – tout ce qui te charme : la preuve que les songes d'un créateur de haut style peuvent donner naissance à... de la réalité officielle ! Comme toi, Charles eut le génie de faire passer une construction imaginaire pour un événement crédible.

Rappel des faits. Le général de Gaulle – reconnu depuis la fin juin 1940 par Churchill comme l'unique « chef des Français libres » – a entamé le plus sérieusement du monde avec le Premier ministre britannique et le Foreign Office des conversations en vue d'établir un accord entre l'Empire de Sa Majesté et... Charles le solitaire qui, à l'été 1940, ne pèse pas lourd : à peine quelques escouades de partisans échoués sur les plages anglaises ou rapatriés de Norvège. Le point de départ de ce document fut un memorandum assez bizarre que Charles avait lui-même fait parvenir à Winston (autre farfelu de poids) et à Lord Halifax (nettement moins drôle) ; bizarre car Charles – tout de même très isolé sur la scène du monde et sur l'échiquier politique tricolore – y apparaissait comme « la France », rien de moins. L'aboutissement de tout cela fut dénommé par cette bande de romanciers impénitents l'« accord du 7 août 1940 ». Plusieurs clauses donnèrent lieu à des tractations byzantines – entendez des empoignades surréalistes – entre les négociateurs de cet accord hautement romanesque : William Strang pour le gouvernement de Sa Majesté et le professeur René Cassin pour la partie française (encore assez fictive !). Après moult tirailleries, les Anglais – tout de même occupés à survivre sous la mitraille aérienne de la bataille d'Angleterre – acceptèrent finalement de garantir « la restauration intégrale de l'indépendance et de la grandeur de la France » (*sic*). Refusant toute vassalité indigne de « la grande nation » (nous en loques), Charles se réserva le « commandement suprême » des forces françaises (totalement hypothétiques à cette date !). D'autant plus sourcilleux qu'il ne représentait qu'un principe nu, Charles le très démuni avait fait spécifier qu'en aucun cas ses *volontaires* (absents à l'appel, doit-on le rappeler ?) « ne porteraient les armes contre la France ». Les dépenses afférentes aux « forces de la France Libre » (encore embryonnaires, pour ne pas dire imaginaires) devaient, après cet accord de rêveurs, incomber provisoirement au gouvernement britannique, étant bien entendu qu'il ne s'agissait que d'avances, dont le remboursement serait, un jour, assuré au penny près par Paris rétabli dans sa grandeur. Charles l'exilé était formel : en aucun cas, cette dépense (existerait-elle jamais ?) ne devrait demeurer à la charge de l'Angleterre (comme si l'avenir était écrit en août 1940 !). Mille détails étaient arrêtés par ce traité international qui fut signé, prétend Charles dans ses *Mémoires de guerre*, dans l'imposant décor des Chequers par Winston Churchill et lui-même ; entendez deux spécialistes à cette date des contes de fées, ou plutôt deux illuminés en liberté que l'on aurait pu sans peine faire interner.

Mon cher Sacha, c'est ici que l'affaire commence à intéresser ton talent vif de metteur en scène et surtout de décorateur.

En réalité, ce document fantaisiste – qui ne reposait, je le répète, que sur l'imaginaire débridé et la bonne volonté de deux fêlés – ne fut pas signé dans le vaste salon des Chequers – la résidence de villégiature des Premiers ministres britanniques, située dans le très chic et très gazonné Buckinghamshire – mais sur le guéridon d'un minuscule bureau du 10 Downing Street. Une adresse un peu minable, petite-bourgeoise pour ne pas dire boutiquière, qui déplaisait fort à Charles, toujours fastueux dans ses mises en scène. D'où le correctif mirifique – en clair, une menterie – qu'il fit dans ses Mémoires. La France ne méritait-elle pas un décor plus en rapport avec sa grandeur ? Pas ce ridicule 10 Downing Street !

Sacha, un type capable de fictionner à ce point n'est-il pas digne de tes louanges ? Cet embellissement aurait dû te le faire aimer, je le crois, et te contraindre à ravaler tes mines boudeuses ou fuyantes quand il était question de son beau génie. De même, aurais-tu dû apprécier que Charles soit parvenu, pour la première fois dans l'Histoire, à faire conclure un authentique traité international entre un empire de taille planétaire et un piéton en rade. Talleyrand lui-même n'aurait-il pas applaudi cette acrobatie ? En somme, si tu avais su voir Charles dans tout son talent de metteur en scène de l'improbable, tu aurais dû réaliser toi même un film montrant cette scène que j'ose qualifier de sachatesque !

Mon cher Sacha, tu aurais également dû admirer la manière très française qu'eut notre ami Charles – permets-tu que j'emploie enfin ce possessif ? – de toujours jouer son rôle impeccablement. Flohic, son aide de camp pendant dix belles années, en charge des audiences, des voyages et des déguisements charlesques, raconte que lorsqu'il le conduisait dans sa retraite de Colombey, le général ne lui accordait jamais un mot, pas le plus mince bonjour, et le tenait clairement pour un outil sans cerveau au service du chef des Français. Un écrou eût mérité plus d'attention ; bien que l'honorable Flohic eût été, je le rappelle, un ancien des Forces françaises navales libres. Mais sitôt arrivé chez lui, en terre familiale, Charles se permettait certaines fois d'inviter ce compagnon de jadis... à boire un verre qu'il lui servait lui-même en lui demandant soudain des nouvelles de sa famille ! Le dédoublement avait lieu au moment précis du franchissement du seuil de son domicile, exécuté d'un pas de fantassin. A l'extérieur, Charles était encore *le Président en charge du destin français.* A l'intérieur, il jouait son rôle privé d'homme affable et bien élevé, assez en phase avec cet officier de marine de complexion militaire. Sacha, ce changement de pied n'est-il pas admirablement interprété ? A peine Charles recevait-il un coup de téléphone adressé au chef de l'Etat et non à lui, que ledit Flohic redevenait instantanément une machine invisible, négligée, un matricule utile au repos de l'esprit du maître de la France. Superbe maîtrise des rôles digne de Feydeau, non ?

Charles, t'ai-je rêvé ?

Un dossier me tord le cœur : Charles fut bien le faussaire qui en 1945 inventa avec aplomb le plus colossal déni français du siècle dernier ; celui dont nous ne sommes toujours pas sortis, celui qui, sournoisement, interdit encore à notre peuple – immense consommateur de faux-fuyants, d'illusions et de vieilles lunes – d'accéder sans effort aux *choses comme elles sont.*

Retournons fin août 1945. Respirons l'air fébrile d'un Paris tout juste libéré. Le président du Conseil national de la Résistance prie Charles, avec émotion, « de proclamer la République devant le peuple rassemblé ». Quoi de plus naturel à présent que la nation est rentrée chez elle, que la liberté est établie à demeure ? Mais le têtu Général rétorque : « La République n'a jamais cessé d'être. La France libre, la France combattante, le Comité français de la libération nationale l'ont tour à tour incorporée. Vichy fut toujours, et demeure, nul et non avenu. Moi-même suis le président du gouvernement de la République. Pourquoi irais-je la proclamer ? »

Vichy fut toujours, et demeure, nul et non avenu… Comment a-t-il pu, lui le pourfendeur des dénis des années 30, se permettre de congédier ainsi les faits ? Et d'inscrire pareille fausseté – qui relève tout de même de l'exploit psychologique – dans les Tables de la Loi françaises ? On ne biffe pas le réel quand on s'appelle Charles de Gaulle. Cet exemplaire fabrication d'un angle mort national m'a longtemps réveillé la nuit. Charles n'est pas un Mao capable de camoufler un indicible holocauste de cinquante millions de morts de faim. Fabriqué par la lucidité, Charles s'était bien fait une spécialité de ne pas rayer les réalités élémentaires !

Sans doute pensa-t-il nécessaire au bonheur de la France – pour éviter ce fameux *dégoût de soi* – qu'un tel maquillage fût établi, ou plutôt *institué*. Mieux que personne, l'homme de Londres savait combien Vichy et ses miliciens (qui entendaient tout de même lui faire la peau) avaient déshonoré notre mémoire et sali nos familles. Mieux que personne, il dut croire indispensable dans une phase de reconstruction, exposée aux tensions de la guerre froide et à la menace d'un parti communiste indigène soumis à Staline, de perpétuer après le conflit le mythe de la France combattante. Non parce que c'était vrai mais parce qu'il fallait, dans l'intérêt de la France, que cela le devînt. Charles, mon vrai chagrin est qu'en 1969, au terme de ton odyssée, alors que tu traînais ta longue carcasse sur les plages d'Irlande, tu n'aies pas pris la plume pour nous délivrer, par écrit, de cette logique délétère de déni qui, à cette date, n'était plus nécessaire pour que se redresse la nation. Mais rassure-toi, mon vieux Charles, nous nous en chargerons. La France renaîtra quelque jour en adhérant vigoureusement au réel, sans plus craindre de faire le point sur nos dérobades collectives. La leçon de ton attitude des années 30 ne sera pas toujours perdue.

Mon éditeur, que j'adore et que j'ai rebaptisé Dizzy en raison de sa ressemblance physique troublante avec Disraeli (même dandysme, même ravissement d'être né, même capacité à faire de l'existence un opéra), me faisait récemment observer que pour lui – et nombre de ses amis intimes qui firent l'agitation festive de mai 1968 – le Charles finissant ne fut qu'une figure de l'ossification mentale, l'ultime visage de la France réactionnaire. Les bulletins paroissiaux de la pensée antiringarde n'avaient-ils pas repeint sa haute silhouette aux couleurs de l'imbécillité patriotarde ? Un très vieux con en somme, tout à fait *réac* aux yeux des drilles gavés de morale égalitaire qui, au couchant de leurs carrières poilantes et/ou rémunératrices, lèguent à notre pays un bilan assez remarquable : une idéologie omniprésente de la peur de tout, l'habitude de prêcher au lieu de gouverner, un écosystème très entamé, un scepticisme nauséeux, une tutelle administrative sur nos moindres faits et gestes, un sentiment général de perte d'avenir et assez de dettes pour briser l'élan des douze prochaines générations. Sans oublier une société civile atone, dévitalisée. Tour de force inouï réalisé avec l'ahurissante complicité de ceux qui se réclamaient soi-disant de Charles ! Tout cela, bien entendu, sans que ces jobards s'inquiètent des responsabilités liées au magistère qu'ils continuent d'exercer sans partage sur la morale française ! Jamais ils ne prirent conscience, ces niveleurs enthousiastes, ces cohortes d'agrégés champions du monde du déni, que Charles fut non pas un dinosaure claquemuré dans une pensée ordonnée *de droite* – une sorte d'amateur de vieilles lunes –, mais bien une joie, une façon d'être incarnant la modernité en marche d'un pas vigoureux, un virtuose du désordre qui relance toujours les dés pour avancer (même s'il regardait dans le rétroviseur) et une droiture spontanée qui, à défaut d'assener aux autres je ne sais quelle éthique, se l'appliquait. L'opposé même de cette génération flasque, adolescentisée, qui manque singulièrement de texture, de bonté réelle et de gélifiant ; sans que l'on puisse pour autant dire que Charles est le contraire de cette *génération édifiante* (ah, cette prétention à la vertu *exemplaire* !). Charles en est plutôt l'inverse. Sa parole n'est pas une négation mais un dépassement fondé sur le courage moral et physique ; jamais un verbalisme véhément qui brûlerait son énergie dans sa seule énonciation.

Dès juin 1940, Charles sut établir à Londres la hiérarchie intime des suprématies acceptées quand elles sont vraiment utiles et des déférences volontaires lorsqu'elles sont justifiées. Les grades étaient alors moins inscrits sur les vareuses que dans les consciences. Manquer à son supérieur, au sein de la France libre, c'était se manquer à soi-même. L'universel dissolvant – l'habitude funeste, en vigueur dans les partis républicains des années 30, de confier des responsabilités à des invertébrés – n'avait pas cours. Charles ne crut jamais que les marges qui bornent l'action publique soient étroites. C'est un homme de l'éternel recommencement, de l'action hors cadre, de la rupture toujours envisagée. Son culte du défi et son amour de l'improbable ne demeurent-ils pas notre ultime recours devant une réalité sociale délabrée, face au mépris de soi qui mine les Français et à une tectonique des désillusions qui, à force de désarrois, pourrait provoquer bientôt des brisures, des déflagrations politiques inendiguables ? Déjà les paranoïas fermentent. Le manque de suite dans nos politiques effondre le crédit de nos dirigeants, même corrects. Le conspirationnisme s'installe sur le net, dans les cafés. L'édifice social se crevasse. Au pied du mur, dévalisé par ces surdiplômés qui font les poches de la nation depuis mon enfance en dégoisant contre l'entreprise suspecte, c'est chez toi, mon vieux Charles, que nous irons puiser nos prochaines ambitions, et retremper notre façon d'être. Le véritable recours, ce n'est pas telle ou telle ambition, c'est bien toi, Charles. Sans hommes et femmes portés par une idée de soi obstinée, agrandis par la fréquentation des livres, les rêves ne dansent pas. Sois tranquille, vieux chevalier bizarre qui enlumines notre mémoire, ahurissant débloqueur de situations perdues, tu reviendras vite à l'avant-scène pour déboucher l'horizon. Le charlisme ressuscité – dans sa version matricielle de juin 1940, la plus belle, la plus joyeuse – fera l'orgueil et sans doute le bonheur de nos enfants et petits-enfants !

Mais puisque nous en sommes à examiner l'état de tes adversaires, mon cher et vieux Charles, voyons à présent le fiel que te cracha la droite française, souvent en pleine face ; parfois même en applaudissant les spadassins qui tentèrent de te descendre ; car si la gauche, pressée de récuser la norme, d'applaudir frénétiquement la marge et de sanctifier l'éphémère, te cracha dessus avec une belle constance, n'hésitant pas à voir en toi un dictateur avide de changer soixante millions de Français en automates (même si tu avais rétabli la République dans ses prérogatives), la droite calotarde, immobiliste, confite en bien-pensance et friande de nostalgies, elle, voulut carrément te liquider (ce qui manque de savoir-vivre) ; notamment lors de l'attentat du Petit-Clamart où, aux côtés de ta femme, tu restas stoïque sous les projectiles.

En tête des intellectuels offensants et estampillés résolument *de droite,* on trouve le souriant et très délicat Jacques Laurent que je n'imaginais pas si fripouille. Son livre *Mauriac sous de Gaulle* (entendez sodomisé par Charles, gracieux non ?) contient à cet égard un florilège de reproches parfaitement infects adressés à Charles, en prenant le prétexte de répondre au très remarquable *De Gaulle* signé par le même Mauriac ; ouvrage subtil et jouissif qui fut publié en 1964 sous les quolibets de l'intelligentsia française de l'époque, éternellement abonnée aux réflexes pavloviens de défi aux puissants. En ce temps-là, mieux valait réserver sa piété et son estime aux serviteurs notoires de l'humanité : Staline, Mao, Castro... Les astres de la bonté !

Que dit l'excellent Jacques Laurent ?

Que j'ai totalement rêvé Charles.

Que l'homme du 18 juin fut tout sauf un homme providentiel : un petit amateur d'apparences pratiquant la politique de la parole, le plus chimérique des esprits faux, un illusionniste dont les *caprices* (la lubie n'est pas loin) auraient simplement *chatouillé notre vanité nationale*. Pour quel profit ? Pour du beurre ! Citons-le : « D'où le style gaullien qui consiste à respecter les réalités, à ne pas les heurter, à les ménager prudemment, à se garder même d'y toucher – et à occuper tout son temps à décorer une fiction. » Jacques Laurent traite naturellement ce décorateur de froussard parti s'embusquer en mai 1940 en Angleterre, « au lieu de retrouver sa place au combat ». Canaille (comme toujours avec cette droite insane qui se roula avec fierté aux pieds du vieux Maréchal) et ironique à souhait, il précise : « Mais avec de Gaulle il y a tout de suite un ton, de l'allure, de l'inimitable. De Gaulle est incomparable. Même au bon Dieu de Mauriac. C'est une vedette ! » Ce magicien bouffi de narcissisme – auquel Laurent reconnaît quelques talents d'appariteur de la République, voire de gardien de musée – aurait, à l'entendre, « toujours été en marge de l'Histoire, qu'il a suivie sans jamais la faire ». Plus loin, il crache : « De Gaulle tient pour essentielle l'apparence des choses. Si l'on tient l'apparence pour essentielle, son rôle resplendit alors d'une tout autre dimension. Mais ce général sans victoire reste un acteur secondaire. »

Pas un instant cet auteur vitupérant, sur qui le catéchisme maurrassien exerçait son vieux prestige, n'eut l'air de saisir que l'œuvre majeure de Charles réside moins dans les actes du gaullisme (minorés avec mauvaise foi) que dans le précédent créé par Charles – comme le rappela le très inspiré Romain Gary dans son éclatante *Ode à l'homme qui fut la France*. Ce qui compte dans l'histoire d'un pays, affirme le merveilleux Gary, ce n'est pas seulement le rendement et l'efficacité visible, quantifiable dans des rapports, mais à quel degré on se sait lié, parfois au prix de sa vie, à quelque chose qui n'existe pas mais qui est progressivement créé par la foi, par une fidélité toute gratuite à l'idée mythologique qu'exaltent certains leaders préoccupés d'intérêt commun. Prétendre que le gaullisme n'aurait servi à rien pendant l'extrême carnage de 40-45 au motif qu'il disposa d'un nombre restreint de divisions en ligne (ce qui est faux en Italie et en Provence), c'est ignorer la part énorme que le renoncement aux intérêts particuliers et l'incarnation du mythe jouent dans la perpétuation des valeurs qui boulonnent une vieille et grande nation. C'est de la confiance en ce qui n'est pas encore que naît peu à peu ce qui advient. Un peuple qui a dans ses placards l'Empire, la Révolution, la perruque de Louis XIV et l'épée de Cyrano de Bergerac ne carbure pas qu'aux chiffres, ne tombe pas amoureux d'un bilan. Pour retrouver son ressort perdu, il a besoin de cathédrales tendues vers le ciel, réelles ou chimériques.

Comment ce monsieur Laurent, si fin, ne comprend-il pas – le feint-il ? – que c'est justement un art supérieur, et incroyablement généreux, de permettre à un peuple de s'adapter du mieux possible à un réel anxiogène, en préservant l'indispensable estime de soi sans laquelle aucun groupe ne peut dominer l'avenir ? Est-il saisi par je ne sais quelle hérédité spadassine ou une ivresse justicière ? Les peuples ont besoin de grands metteurs en scène pour échapper à cette fameuse *détestation de soi* qui, lorsqu'elle paraît, fait souvent le lit du pire. Sous sa plume féroce, on sent vibrer la phrase de Nietszche : « Cela, un grand homme ? Je n'aperçois en lui que le comédien de son idéal. » Sentence arrogante que je déteste fortement car être le comédien de son idéal, c'est déjà beaucoup quand le destin fait de ses contemporains les acteurs de leur bassesse. Seul ce jeu obstiné, exécuté avec foi, amorce les rétablissements inespérés. Sans magicien pour soigner le prodigieux besoin de déni des peuples dans la panade, ces derniers virent dans le franc délire et votent pour des fanfarons dangereux.

Le très désobligeant Jacques Laurent, sans doute trop près de l'événement atroce qui coûta leur vie aux Algériens qui avaient placé leur confiance dans la France, ne veut pas voir que lorsque Charles lança à la foule algéroise son « Je vous ai compris », il ne leur parlait pas. Comme toujours, l'homme de la conférence de 1927 parlait non à ses interlocuteurs mais à la France éternelle dans un étrange tête-à-tête, à l'avenir très menacé de notre nation qu'une fois de plus il s'efforçait de sortir de la nasse. Comme toujours, Charles disait la vérité profonde : il avait effectivement *compris* que nous, Français, devions lever l'ancre de nos colonies, rompre avec les plus anciennes et les mieux séduites par notre culture. A tout prix.

Non, Charles, je ne t'ai pas rêvé.

Oui, Sacha, tu as eu tort toi aussi, oui vraiment tort, de ne pas avoir l'honneur insigne d'être charlophile. Si l'on écarte vos différences vestimentaires qui passent les apparences (Charles ne porta jamais de pyjama en soie naturelle ni aucun slip fourré), cet auteur-acteur te ressemblait singulièrement !

Dans le roman qu'il se raconte

Charles, modèle les suivants ! Façonne des volontés tendues, rallume des dévouements ! Réapprends-nous à OSER !

Ce cri, je le lui lance à chaque fois que je cours tôt le matin – entre cinq heures trente et sept heures –, dans ma capitale déserte. A petites foulées, je quitte la place Clichy pour me perdre au milieu de cette ville qui m'a appris la beauté vaste ; mais toujours je me dirige vers la statue de Charles érigée dans le bas des Champs-Elysées, à trois cents mètres de celle de Churchill. Ce n'est que pour aller vers lui (même si je fais parfois un crochet jusqu'à Winston), vers sa silhouette en marche, que je trouve l'énergie de me lever aux aurores pour cavaler. Mon cœur bat dans sa direction. Je transpire pour l'atteindre. Je me muscle en le rejoignant. Face à lui, j'ai alors le privilège de pouvoir lui parler en tête à tête, dans la quiétude du petit matin. Vers six heures, surtout quand il pleut, nous ne sommes pas nombreux à solliciter ses avis. Même si, parfois, je croise des gens qui viennent jusqu'à lui, des profils déconcertants. Un peuple de joggeurs – toujours plus nombreux – qui, ne sachant trop où diriger leurs foulées, le prennent instinctivement comme boussole.

Hier matin, tu le sais, Charles, je t'ai fait part de mon doute sérieux sur ma propre capacité à me faire naître, à me défaire du moi étriqué et confortable dont je me suis contenté dans la première partie de ma vie. Je t'ai également dit combien j'envie les certitudes qui t'habitaient enfant lorsque tu jouais à être *le général de Gaulle*, à te poser en ultime rempart contre une invasion de soldats de plomb qui, un jour, portèrent des croix gammées en passant par les Ardennes. A quinze ans, tu le sais, j'écrivais des constitutions européennes pour m'entraîner à régner de Dublin jusqu'aux confins de la Pologne (cette frontière orientale mobile de notre empire m'agaçait). Mais je ne montrais guère mes textes, sinon à notre vieille femme de ménage bègue. Elle croyait que je lui lisais un roman. Peut-être n'avait-elle pas tort (si elle lit ces lignes, je veux qu'elle sache que je l'embrasse). Je t'ai également confié que je me suis longtemps demandé si je suis né écrivain comme mon père ou si, comme mon grand-père inattendu, j'ai reçu en héritage l'étrange pouvoir de *se dominer soi-même*. Cette sorte de puissance interne que tu as si vite cultivée en te gouvernant avec rudesse. Etape première des destinées qui *distribuent du pouvoir aux autres* ; ce qui reste le vrai métier que tu exerças. As-tu jamais fait autre chose que remettre avec joie du *pouvoir agir* aux gens de France ?

Ah, mon vieux Charles, je t'ai longtemps résisté en empruntant les façons de Sacha et son habitude des masques ! Mais au fond je savais être plus près de toi que je ne l'étais de moi-même. Me fascine tout particulièrement l'usage si juste que tu fis du nom du personnage que tu créas – ce fameux *général de Gaulle,* dont tu parlais avec aisance à la troisième personne –, l'un des rares personnages littéraires qui affecta l'Histoire. Le capitaine Nemo, à ma connaissance, n'altéra pas directement la marche du globe. Tout s'enclenche à partir de cette invention dont tu t'es toujours servi comme d'un levier.

En 1940 à Londres, ne pesant rien, Charles mime son statut de chef d'un grand pays fictif et ne lâche quasi rien face aux Anglais, persuadé que de l'attitude singulière de son personnage naîtra un royaume digne de ses rêves de petit garçon. Et ça marche ! Aux Chequers (pardon, au 10 Downing Street...), il finit même par signer son accord délirant du 7 août 1940. Décontenancé, Churchill le décrira comme s'il avait rencontré un héros de Jules Verne, une sorte de Barbicane en goguette dans le XXe siècle : « créature improbable, girafe humaine qui, du haut de sa grandeur, contemple les mortels avec mépris ». L'incroyable Winston le sent bien : Charles est de toute évidence l'origine de sa propre puissance puisque *dans le roman qu'il se raconte* le monarque désigné par le destin c'est lui !

Sans doute est-ce cela qui me bouleverse le plus : l'aptitude invraisemblable de Charles à évoluer dans le roman qu'il se raconte, sans jamais s'écarter de son texte. Lorsque le rugissant Churchill le traîna littéralement en Afrique du Nord pour qu'il serre la main de son concurrent Giraud – un falot très malléable dans la poigne de Roosevelt –, il dira de Charles : « Son pays a renoncé à se battre, il est lui-même un réfugié, et si nous le rejetons, c'est un homme fini. Eh bien, regardez-le ! Non mais regardez-le ! Il se prend pour Staline, avec deux cents divisions pour appuyer ses dires. J'ai été assez rude avec lui. Je lui ai fait carrément sentir que s'il ne pouvait pas collaborer plus efficacement avec nous, nous en aurions fini avec lui.

— Quelle a été sa réaction ? demanda le médecin de Winston.

— Oh, c'est à peine s'il a paru intéressé. Mes avances et mes menaces n'ont obtenu aucune réponse ! »

Dans le roman qu'il se raconte, Charles n'a pas à paraître *intéressé* puisqu'il est l'héritier d'Hugues Capet, d'une Révolution universaliste et de trois Républiques. Moralement, il dispose bien de deux cents divisions ; donc il se conduit en conséquence au milieu des vrais puissants. Ah, comme j'aime cela ! Et comme je méprise les individus étroits qui se plient trop facilement aux injonctions du réel, ces mauviettes qui au fond de leur cœur ne croient pas en leur propre littérature ! Et qui, sans cesse, cherchent dans le regard d'autrui la confirmation de leur propre désir, le droit d'être enfin exceptionnel (décidément, je suis taré). Plus tard, confronté à l'inaptitude de Charles au compromis, Winston avouera en avoir eu les larmes aux yeux, avant de piquer mille colères : « Pour de Gaulle, l'offense la plus grave qu'ait commise l'Angleterre, c'est d'avoir aidé la France. Il ne peut supporter de penser qu'elle avait besoin d'aide. Pas un instant, il ne relâchera la vigilance qu'il a mise à la garde de son honneur ! »

Dans le roman qu'il se raconte, Charles est bien entendu le chef d'une nation née pour la grandeur ; alors les autres, les sujets incertains de nations *subalternes* (entendez les malheureux qui n'ont pas eu la chance d'apprendre les fables de La Fontaine à l'école), doivent tenir l'effacement militaire de la France pour un malentendu regrettable. Que certains Britanniques le prennent, lui, pour la quintessence d'un complexe d'infériorité lui importe peu. Sûr de son fait, Charles les tient pour négligeables *dans le roman qu'il se raconte.* Son moi idéalisé ordonne littéralement le monde.

Dans le roman qu'il se raconte, mon Charles se situe naturellement à mille lieues du jeu ordinaire de la reconnaissance sociale à laquelle ce libertaire-né n'a, au fond, jamais cru. Issu du désordre, je me sens bien de sa famille ! Aucun ruban ne m'émeut, nulle reconnaissance supposément flatteuse n'a de valeur dans mon cerveau. Au milieu du fatras grandiose de la correspondance de Charles, il est une lettre écrite de Sirius qu'il adressa en 1962 à son ministre des Armées. Ce document invraisemblable – car Charles y détaille la vérité à un représentant de la vérité paperassière – me parle tout particulièrement. Edmond Michelet, son très scrupuleux ministre, s'était mis en tête de vouloir régulariser administrativement la situation du général de Gaulle dont le dossier militaire devait se trouver en souffrance sur une étagère ; ce dont l'administration a horreur. Hilarante fable, non ? Régularise-t-on l'homme de la France libre ? Pourquoi pas l'affilier à la Sécurité sociale (d'ailleurs l'époux d'Yvonne fut-il jamais immatriculé ?) ou comptabiliser ses points de retraite ! L'extraordinaire courrier officiel de Charles – à mettre sous cadre – me réjouit par sa souveraine lucidité :

Mon cher Ministre,

Depuis le 18 juin 1940 – date du jour où je suis sorti du cadre pour entrer dans une voie assez exceptionnelle – les événements qui se sont déroulés ont été d'une telle nature et d'une telle dimension qu'il serait impossible de « régulariser » une situation absolument sans précédent.

A cette situation, il n'a été d'ailleurs nullement besoin de changer quoi que ce soit, pendant les cinq ans, sept mois et trois jours d'une très grande épreuve. Toute « solution administrative » qu'on tenterait d'y appliquer aujourd'hui prendrait donc un caractère étrange et même ridicule.

La seule mesure qui soit à l'échelle est de laisser les choses en l'état. La mort se chargera, un jour, d'aplanir la difficulté, si tant est qu'il y en ait une.

Charles de Gaulle

En 1946 comme en 1969, Charles se savait ligoté de mille fils par les lilliputiens des partis reconstitués : il n'y consentit pas et déguerpit ! Pas une minute le Français qui avait tenu tête aux Alliés et observé de près la lie de l'âme de Staline n'imagina ranger son glaive dans une petite armoire de l'Assemblée nationale, en posant son chapeau dessus comme il le confia un jour. Son attitude de constante hostilité à toute *politique des partis* trouve là sa source profonde : ces syndicats d'ambitions font la plupart du temps semblant de gouverner, semblant d'être, semblant de vouloir. Ils confisquent l'autorité pour, étrangement, renoncer à l'exercer sitôt les sinécures distribuées. N'ayant pas pris le pouvoir en eux-mêmes, en affermissant au préalable leur caractère, la plupart de leurs leaders attendent de l'élection un surcroît d'autorité qu'ils ne seront jamais en mesure de métaboliser. Alors ils se gavent de postes, de titres, de toute la ferblanterie de la République. La capacité à dominer le réel ne se conquiert qu'en fréquentant les couches profondes du moi auxquelles n'accèdent pas ceux qui vivent à la surface de leur vanité – même s'ils sont présentables. Au point de faire d'eux d'honnêtes chefs de bureau.

Tout cela, je le tiens de Charles.

Pour ma part, je n'ai jamais eu le cran de croire totalement au *roman que je me raconte.* Cette forme supérieure d'ingénuité viendra-t-elle avec l'âge ? Toutes les fois que je m'approche d'une foi complète en mon propre roman, j'hésite encore à y entrer de plain-pied, à faire des dégâts dans ma vie privée (ah, les ravages de l'engagement !) ; et je me mets à espérer que je pourrai demeurer longtemps romancier, baguenaudant entre la littérature et le cinéma, calfeutré dans mes chapitres ensoleillés.

Ce qui m'émeut le plus en lui

Charles accepta tous les risques afférents à l'idée qu'il se faisait de lui ; ce qui me laisse pantois à chaque fois que j'examine les périls auxquels il s'exposa. Mais il y a quelque chose de plus magique encore qui scintille chez ce Jules Verne à képi, une singularité qui ne cesse de me botter le cul : Charles raisonne presque toujours en dehors des théories majoritaires. Il y a du Colomb chez ce terrien, du pilote d'Apollo, du Galilée défiant l'Eglise. Sacha se livrait à cet exercice libertaire en s'amusant, Charles le fait par amour démesuré pour la France. Pour elle, il s'interdit fermement de ruminer le *déjà pensé,* d'envisager le *déjà tenté.*

Quand j'écris qu'il endossa *tous les risques,* ce n'est pas propos imagé. Le 2 août 1940, le général Frère, présidant le tribunal militaire, condamna l'ex-général Charles de Gaulle à la dégradation militaire, à la confiscation complète de ses biens et à la peine de mort. Pour faire bonne mesure, on jugea nécessaire de le déchoir de la nationalité française (ironique, non ?). Dès le 26 juin, à l'instigation du général Weygand, un ordre d'informer fut lancé contre Charles, ordre qui retenait l'inculpation de refus d'obéissance en présence de l'ennemi et de provocation à la désobéissance. La vengeance judiciaire des lâches commençait fort. Charles ne broncha pas ; comme il n'avait pas soupiré à Verdun lorsqu'on lui avait permis de s'exposer dans cette dépense inouïe de vies, au milieu d'élans militaires sans décision et de sacrifices sans victoire. Sa hiérarchie n'avait pu lui refuser un commandement très risqué qu'il réclamait depuis son retour de convalescence. Sa haute silhouette casquée s'y démena sur un rythme haletant, au milieu de tripotées d'hommes jetés dans la fournaise. Fauché par une balle dans un cliquetis de baïonnettes, Charles ne devait se réveiller que sur la route de la captivité. Son étourdissante citation à l'ordre de l'armée ne laisse pas de me couper le souffle, moi qui n'ai jamais remporté qu'un prix de poésie en CM2. Je l'ai même mise sous verre (encadrement acajou) dans mes toilettes afin que mes enfants la lisent souvent (effet nul ; je crois qu'ils ne supportent plus Charles) :

> Le capitaine de Gaulle, commandant de compagnie réputé pour sa haute valeur intellectuelle et morale, alors que son bataillon, subissant un effroyable bombardement, était décimé et que les ennemis atteignaient la compagnie de tous côtés, a enlevé ses hommes dans un assaut furieux et un corps à corps farouche, seule solution qu'il jugeait compatible avec son sentiment de l'honneur militaire. Est tombé dans la mêlée. Officier hors de pair à tous égards.

Cette citation est bien entendu signée... Philippe Pétain ! L'homme qui le fit condamner à mort vingt-cinq ans plus tard... et l'homme que Charles fit boucler à la Libération. Le courage physique du leader français sur lequel on aura finalement le plus tiré fut donc constant.

Mais son intrépidité intellectuelle m'électrise tout autant.

En toutes circonstances, on le voit déplacer sa réflexion loin des ornières où s'enlise le nombre. Comme Sacha mais aussi comme le bouillant Churchill, ce furieux *pense en dehors du cadre.* En bon Lorrain, il crapahute d'un pas de fantassin dans les chemins de traverse doctrinaux. Sans doute ne fut-il pas facile d'être ostracisé par l'ensemble des professeurs de l'Ecole de guerre parce qu'il croyait, lui, au *moteur combattant,* à la suprématie des tanks lourds projetés sur les théâtres européens comme des escadres sur chenilles ainsi qu'à l'*armée de métier*; une idée toute de rupture qui contestait l'armée de masse, dite *populaire,* qui se confondait alors avec la culture républicaine et qui, dans l'esprit de tous, avait démontré sa pertinence... lors de la guerre précédente !

Décrivant la débâcle de 1940, ce qu'écrit Charles de son presque ami Paul Reynaud, alors chef de l'exécutif, est terrible et en dit long sur sa propre liberté mentale. Après avoir succinctement rappelé « le déroulé le long des routes, dans la dislocation des services, des disciplines et des consciences », Charles lâche :

> Dans de telles conditions, l'intelligence de M. Paul Reynaud, son courage, l'autorité de sa fonction, se déployaient pour ainsi dire à vide.

Il n'avait plus de prise sur les événements déchaînés. Pour ressaisir les rênes, il eût fallu s'arracher au tourbillon, passer en Afrique, tout reprendre à partir de là. M. Paul Reynaud le voyait. Mais cela impliquait des mesures extrêmes : changer le Haut Commandement, renvoyer le Maréchal et la moitié des ministres, briser avec certaines influences, se résigner à l'occupation totale de la métropole, bref, dans une situation sans précédent, sortir à tous risques du cadre et du processus ordinaires. M. Paul Reynaud ne crut pas devoir prendre sur lui des décisions aussi exorbitantes de la normale et du calcul.

Charles joue la pièce en l'écrivant. Il n'est pas, ne peut pas être un perpétuateur de modèles obsolètes. A Londres, en cet été 1940 écrasant, les Français désireux de poursuivre la lutte n'imaginent pas se comporter autrement qu'en troupes supplétives de l'Empire britannique demeuré seul en ligne. Charles, lui, se démarque aussitôt de cette idée sans grandeur et vide de souffle spirituel. Ecoutez ce pur romancier :

Pas un instant, je n'envisageai la tentative sur ce plan-là. Pour moi, ce qu'il s'agissait de servir et de sauver, c'était la nation et l'Etat. Je pensais, en effet, que c'en serait fini de l'honneur, de l'unité, de l'indépendance, s'il devait être entendu que, dans cette guerre mondiale, seule la France aurait capitulé et qu'elle en serait restée là. Car, dans ce cas, quelle que dût être l'issue du conflit, que le pays, décidément vaincu, fût un jour débarrassé de l'envahisseur par les armes étrangères ou qu'il demeurât asservi, le dégoût qu'il aurait de lui-même et celui qu'il inspirerait aux autres empoisonneraient son destin et sa vie pour de longues générations. Quant à l'immédiat, au nom de quoi mener quelques-uns de ses fils à un combat qui ne serait plus le sien ? A quoi bon fournir d'auxiliaires les forces d'une autre puissance ? Non ! Pour que l'effort en valût la peine, il fallait aboutir à remettre dans la guerre, non point seulement des Français, mais la France. Cela devait comporter : la réapparition de nos armées sur les champs de bataille, (...) la participation du pays lui-même à l'aide de ses combattants, la reconnaissance par les puissances étrangères du fait que la France, comme telle, a continué la lutte, bref, le transfert de la souveraineté, passer du désastre et de l'attentisme du côté de la guerre jusqu'au jour de la victoire (...). Quant à moi, qui prétendais gravir une pareille pente, je n'étais rien au départ. A mes côtés, pas l'ombre d'une aide, ni d'une organisation. En France, aucun répondant. A l'étranger, aucun crédit, (...) mais ce dénuement même me traçait ma ligne (...). Bref, tout limité et solitaire que je fusse, et justement parce que je l'étais, il me fallait gagner les sommets et n'en descendre jamais plus. La première chose à faire était de hisser les couleurs. La radio s'offrait pour cela.

Et en plus, il le fit ! Envers et contre toute logique.

Raisonnant spontanément hors périmètre classique – avec autant d'aisance que Sacha lorsqu'il joua au cinéma –, Charles évoluait naturellement hors cadre.

Mais cette étrange capacité ne vit pas le jour à l'été 1940. Elève à l'Ecole spéciale militaire ou capitaine à la caserne d'Arras, de Gaulle était déjà rétif à tout programme stable, à la moindre discipline extérieure, comme s'il avait tenu à se façonner par le dedans, à charpenter avant tout son intériorité. L'animal restait l'élève indomptable, le zigoto à part dont la pensée n'est jamais enclose dans la certitude d'un système, passionné par la mitrailleuse qui faisait ses premières sorties au champ de tir, ou par l'aviation qui décollait à peine alors que d'aucuns dans l'armée prenaient encore les aéroplanes pour une sympathique attraction de foire. Le jeune Charles, lui, pensait qu'un futur officier devait s'affirmer à contre-courant, à contre-croyances, et que le caractère primait la docilité. Placé au-dessus du ronron doctrinal où d'autres se complaisaient, son esprit accusé faisait par principe craquer les contours des dogmes. Son éloge de la désobéissance, lors de ses conférences à l'Ecole de guerre en 1927, fut du même bois. Ses critiques implacables des conceptions où s'empêtrent les états-majors de l'entre-deux-guerres sidèrent-elles ? Charles n'en a cure. L'incommode officier sait que la modernité s'affirme loin des héritages et par des coups de folie. Il n'a jamais oublié que ce sont les taxis de la Marne qui ont fait de cette rivière bordée de guinguettes une victoire improbable. Le redressement improvisé par cette riposte inouïe dut tout à une flotte de taxis mobilisés et fort peu à la doctrine de l'Ecole de guerre ! Charles a également noté dans un carnet que ce ne sont pas les fabricants de calèches qui ont créé des usines d'automobiles. Cette observation résume notre rebelle.

Alors, bien sûr, Charles souffrit durement de devoir se plier au dogmatisme en honneur dans la vieille institution qu'il affectionnait. Du moins y consentit-il par passion pour cette France dont il se devinait déjà le garant. Les vexations qu'il essuya après avoir publié son livre *Vers l'armée de métier* sont innombrables. Ce frêle commandant aux allures de lama sortant de son bain (l'image est de Churchill) prétendait dans ce volume que cent mille soldats professionnalisés suffiraient non seulement à verrouiller la sécurité de la France mais aussi à lui offrir une politique étrangère. Contre l'avis de toute sa hiérarchie, sans faiblir, l'impétrant se signalait en optant pour la qualité et l'agilité contre le lourd système de la nation en armes, pour le tank doté d'un canon et puissamment motorisé plutôt que pour le lambin fantassin de naguère. Cette idée baroque confinait à l'hérésie tactique, stratégique et morale ! Peu importait à l'énergumène qui avait inscrit en exergue du *Fil de l'épée* cette réplique nette d'*Hamlet* : « Etre grand, c'est soutenir une grande querelle. » Prêt à côtoyer des précipices, Charles le rétif avait choisi d'être l'homme de ses convictions, non pas de ses grades. Celui que l'on appelait alors *le colonel Motor* valait mieux à ses yeux qu'une carrière somnolente. Pourquoi ? Parce que dans le secret de son cœur, mon bien-aimé Charles livrait bataille à l'immobilité ; celle des certitudes ossifiées, des concepts dépassés, des routines désolantes et de l'imbécile ligne Maginot qui était alors le symbole du renoncement français à être, de notre lâcheté létale.

Et nous, ses petits-enfants, de quelle immobilité sommes-nous les otages dans cette France en capilotade qui nous entraîne peu à peu dans sa pente ? Une mort en pente douce (à moins qu'elle ne s'accélère soudainement) qui nous emmène sans trop de bruit (à moins que...) aux portes du déclassement historique. Chez Charles, l'art d'être mobile était l'art d'oser être autre, de tuer en soi *le vieil homme* ; donc celui de renaître en boxant la pensée désuète. Aurons-nous à notre tour le talent de rompre avec les vieilles règles qui firent la France nouvelle de 1945 ? L'éternelle ironie parisienne moque si facilement le courage et excommunie les audacieux, avec ce laid fatalisme qui nous fait dire à tous sans avoir le rouge au front : *Ça, on ne pourra jamais le réformer, c'est foutu.* Comme si la social-démocratie devait, par je ne sais quelle fatalité, se confondre avec la social-démagogie. Comme si la France n'avait pas été créée pour être un coup de poker permanent, une bonne nouvelle pour le genre humain, une partie palpitante qui se finit bien !

Fessée numéro 7

Que Charles ait dit la vérité à ses contemporains comme jamais je ne me le suis permis dans ma vie privée m'ouvre mille perspectives. L'insolence est sa langue maternelle. A chaque fois que je me remémore ses répliques calmement décochées, je gagne en impertinence et me réjouis d'avoir suivi les cours d'un tel professeur d'aplomb.

Hier, après avoir couru jusqu'à la statue de Charles, j'ai déclaré au petit déjeuner, dans un café parisien où j'ai mes habitudes, à un homme qui ne disait mot à sa femme combien son attitude close et très indifférente méritait des paires de baffes, voire même le dédain de notre société. A-t-on idée d'insulter l'amour dès l'aube ? de négliger la beauté d'une femme que l'on prétend aimer ? J'ai été, je m'en félicite, très charlien dans ma repartie qui sentait le coup d'épaule.

Retournons en 44. Au milieu d'un Paris libéré encore échauffé par un déluge d'émotions fraternelles qui font battre les cœurs, Charles reçoit les hommes de la Résistance, l'infanterie du culot et du courage. Ceux-ci l'entourent, le bouffent des yeux, veulent approcher ce vivant symbole pour qui ils ont incendié, saboté et parfois été torturés ; en exposant leur famille à des représailles impensables. L'ébullition des sentiments est à son comble. Le geste ample, Charles leur tend les bras et assène une parole stupéfiante : « Messieurs, je n'oublierai jamais ce que vous avez fait. A l'heure de ma mort, ma dernière pensée sera pour tous ceux qui ont combattu à mes côtés pour que vive la France. En attendant, soyez assurés de toute mon in-gra-ti-tude ! »

Ce qui fut scrupuleusement exact.

Peu soucieux de rétribuer le courage patriotique (cela lui semblait un minimum d'avoir *fait son devoir* puisque lui-même n'avait pas mesuré sa peine), Charles le rigide préféra servir les intérêts permanents de la nation en procédant à des nominations moralement contestables mais fort utiles au redressement d'une France affamée et menacée de déchirures sévères.

Lors de la conférence de presse à l'Elysée du 9 septembre 1968, il assène aux éditorialistes qui fabriquent l'opinion ce qu'il pense exactement de leurs tripatouillages de la vérité. Affranchi de tout, l'énergumène grandiose cause à cœur ouvert : « Grâce à la mise en condition de l'opinion publique – n'est-ce pas, messieurs les journalistes ! – par la grande majorité des organes de presse et de radio auxquels ne rapportent et, par conséquent, pour lesquels ne comptent que les faits scandaleux, violents, destructeurs ; grâce à l'état d'esprit de certains milieux intellectuels, que les réalités irritent d'autant plus qu'elles sont rudes, qui adoptent en tous domaines, littéraire, artistique, philosophique, l'esthétique de la contradiction et qu'indispose automatiquement ce qui est normal, national, régulier ; grâce à l'étrange illusion qui faisait croire à beaucoup que l'arrêt stérile de la vie pouvait devenir fécond, que le néant allait, tout à coup, engendrer le renouveau, que les canards sauvages étaient les enfants du bon Dieu… »

Quel politique est aujourd'hui assez solide intérieurement pour proférer de telles vérités, surtout aussi bellement, devant un parterre de journalistes disposés au flingage ? On me dira que Charles était alors souverain, exerçant de par ses fonctions jupitériennes une influence suffisante pour le mettre à l'abri de la contradiction. Mais même en 1940, léger sous-secrétaire d'Etat, l'irrégulier ne craint pas d'admonester le chef du gouvernement à pleins poumons ! En dégainant ce qu'il faut de rudesse légitime.

A peine arrivé dans un Bordeaux qui suinte la résignation et la débandade, en juin 1940, il croise dans le vestibule de la mairie le chef du gouvernement, le maire de la ville et Pierre Laval qu'il tâche d'exhorter à la résistance. Ce dernier, flageolant, fidèle à son pacifisme congénital et maladif, ne lui parle que d'armistice trop tardif. Outré, se retournant vers Paul Reynaud président du Conseil, Charles l'interpelle alors en lançant cet ultimatum : « Depuis trois jours, je mesure avec quelle vitesse nous roulons vers la capitulation. Je vous ai donné mon modeste concours, mais c'était pour faire la guerre. Je me refuse à me soumettre à un armistice. Si vous restez ici, vous allez être submergé par la défaite. Il faut gagner Alger au plus vite. Y êtes-vous, oui ou non, décidé ? »

Giflé par ce propos comminatoire où perce le cerf dominant, Reynaud baisse les bois. Il cède du terrain et convient que la tâche la plus urgente de ses collaborateurs est de gagner Londres pour s'y assurer le concours des Anglais. Lui, le chef du gouvernement, se défend et donne des gages à un simple sous-secrétaire d'Etat !

Cette liberté-là, ô combien fondée, me fait du bien.

Même dans le désastre, Charles promène sa manière d'énoncer la vérité sans atténuements, avec un sang-froid qui ramène chez ses interlocuteurs un peu de calme. Pourquoi ? Parce que, en disant la vérité, celle qui donne l'opportunité d'agir, le Connétable leur fait immensément confiance. Tout est là : *Charles fait confiance à ses auditeurs, à son pays* ; il s'y obligera toujours. C'est pour cela que ce militaire râpeux me remue jusqu'au tréfonds, moi le petit Français des temps de paix.

A présent que le plateau politique est livré aux doublures et aux personnages antilittéraires, plus personne ne se hasarde à cet exercice : *faire confiance !* A chaque fois que j'aperçois un Hollande de rencontre biaisant à la télévision avec malignité, éludant la gravité abyssale de tel ou tel chiffre en affectant une arrogance pateline au lieu de nous faire confiance, je suis triste. Comment ce René Coty modernisé ose-t-il, en fanatique du flou, faire pareil assaut d'ambiguïtés et discréditer ainsi la parole politique en en faisant un art de l'esquive ou pire de l'équivoque ? Est-il perdu dans ses duperies ou la marionnette publique a-t-elle dévoré l'homme ? Impossible d'emboîter le pas des laudateurs cyniques qui, en orfèvres du vice, applaudissent à la rouerie tactique, à l'immobilisme finaud ou aux astuces moralisatrices. Tout cela prépare la haine du pays pour lui-même, l'irruption de la brutalité populaire. Une seule pensée m'obsède alors : pourquoi ce successeur de l'illustre Guy Mollet ne nous accorde-t-il pas sa confiance la plus haute, comme Charles osa le faire aux pires heures de l'Histoire de ce pays ? Derrière toutes les franchises abruptes de ce grand prétorien sorti du tréfonds de notre Histoire, et capable de la poursuivre, il y aura toujours cette pulsion de confiance qui ramène la paix dans les cœurs.

Le soir où, très inquiet, j'ai signé le « bon à tirer » de mon livre *Des gens très bien,* en lançant ainsi la fabrication, je me souviens d'avoir très nettement pensé que je faisais une immense confiance à ma famille pour métaboliser ce livre pénible et irréversible ; même si j'acceptais par avance des insultes provisoires, un inévitable sas de décompression nerveuse.

Un soir que je revenais chez moi, à Paris, je songeais que la Constitution de Charles repose fondamentalement, comme l'explique le pénétrant Gary, sur une confiance naïve dans l'homme, ou plutôt dans l'individu d'exception à qui les Français donneront dignement leurs suffrages ; au lieu que la République précédente, club d'inquiets et de prudents, était tout entière bâtie sur des contrepoids destinés à empêcher les hommes capables, toujours suspectés du pire, d'exercer de vastes pouvoirs. La IVe République vécut dans l'angoisse du retour des Clemenceau, des Danton, des Thiers fusilleurs. Plutôt mille Emile Loubet (un authentique mini-citoyen ; peut-être l'élu le plus insignifiant de notre Histoire) qu'un seul Napoléon III clinquant d'initiatives !

Une prodigieuse capacité de souffrance

Charles, il y a en toi une faille insondable dans laquelle je me reconnais chaque jour. Cette émotion incommode t'étreignit toute ta vie ; je l'éprouve également, en grand secret (oui, je suis givré). Jusqu'à présent, j'ai pris soin de la dissimuler dans mes fous rires sachatesques et ne l'ai confiée qu'à ta statue de bronze, illuminée par les lueurs qui se lèvent le matin derrière le dôme des Invalides. Cette faiblesse – que nous partageons à quelques générations de distance – me permet de te reconnaître pour père, que tu le veuilles ou non. Ton lignage t'échappe et ne sera jamais asséché. J'ai intériorisé une partie de tes troubles qui vivent désormais en moi, gravés dans mon cerveau à force d'y songer. Ce qui te confère une postérité jardinesque assez inattendue (je suis givré, je vous le disais). Ne pouvant accepter que tu disparaisses (comment s'y résigner ?), je me suis mis à porter dans ma boîte crânienne une sorte de copie grossière d'un aspect très particulier de ta façon d'être. Je veux ici parler de cette part de toi, ombreuse et plutôt méconnue, dont Churchill parla un jour lorsqu'il évoqua, en connaisseur, ta « prodigieuse capacité de souffrance ».

Exorbitante capacité qui explique l'essentiel de ton être, comme elle expliquera, je le pressens sans rire (c'est dire combien je suis irrécupérable et inaccessible au ridicule), ma conduite future.

Les inattentifs t'ont souvent décrit comme une armure médiévale sous laquelle battait un cœur rugueux. On retrouve cette perception fausse même chez ceux qui – à l'exception de Mauriac – te virent visiter d'un pas lent le camp d'Auschwitz en 1967, très démuni, le visage décomposé au milieu de ces vestiges des temps féroces ; alors que le chrétien que tu es par toutes tes molécules n'a pas pu, dans ces allées de la désolation, ne pas interroger ses priorités à Londres. Et certaines erreurs de jugement. Le même Mauriac a écrit que tu as, je le cite, *la larme difficile* ; mais la vraie vérité est que l'intégralité de tes audaces fut motivée par la souffrance intolérable qui te glaçait aux moelles lorsqu'on attentait à l'honneur ou à l'indépendance de la France, ce qui est bien la même chose. La moindre atteinte à cette *princesse des contes* te nouait le ventre, ravivait ton intranquillité. Ta conduite apparemment distancée est fille de tes déchirements. Ton hypersensibilité s'avoue d'ailleurs sans fard dès le premier paragraphe de tes *Mémoires de guerre* qui, aussitôt, me mit en alerte chez cette aimable pute: « Toute ma vie, je me suis fait une certaine idée de la France. *Le sentiment me l'inspire* aussi bien que la raison. » Pour plus de clarté, tu ajoutes immédiatement: « *Ce qu'il y a en moi d'affectif* imagine naturellement la France, telle la princesse des contes ou la madone aux fresques des murs, comme vouée à une destinée éminente et exceptionnelle... »

Le sentiment me l'inspire... Ce qu'il y a en moi d'affectif...

Tu ne marches qu'au cœur, mon vieux Charles.

Seuls les cyniques qui projettent leur froideur sur toi ne l'ont pas vu.

En 1967, à Varsovie, tu laisseras échapper un surprenant aveu: « On ne peut dissocier le sentiment et la politique... »

Hélas, je souffre également depuis l'adolescence d'un excès de douleur dès que l'on écorne la situation de la France ou que l'on menace ses intérêts permanents. Je suis alors saisi par une hypersensibilité que je ne parviens pas à contenir ; comme si j'étais coupable, moi Alexandre, de ne pas porter assistance à la nation. Grotesque, n'est-ce pas ? Mais sincère. Quand je parcours un quotidien et que j'apprends une sale nouvelle pour l'Hexagone, il me semble que des sagouins piétinent mon jardin, malmènent les miens, molestent mes filles ; pire, ils le font *sans que j'intervienne*. La honte me gagne alors de repartir vaquer à mes occupations privées, comme si de rien n'était. Névrose ? Je l'assume. Un ministre parle-t-il à la télévision en démineur alors que la situation exigerait un artilleur ? Son incompétence m'accuse, me tord littéralement le cœur et me rappelle que j'aurais dû être en position de m'opposer à sa nomination. Vanité d'égocentrique ? J'accepte l'insulte. La France connaît-elle un déficit commercial ruineux, je me sens personnellement comptable de cette défaite qui m'interdit toute quiétude. La France est mienne, ses échecs m'offensent, ses déboires me font reproche. Notre croissance est-elle en panne sèche, mon cœur bat horriblement alors que je note que mes contemporains dans les cafés ne semblent pas en être affectés personnellement. Aucun de ces trinqueurs n'a l'air de s'en tenir pour directement responsable. D'un haussement d'épaules, ils effacent ces désastres ; cela me sidère même si, en esprit, je peux le comprendre. Mon cœur, lui, s'insurge. A l'inverse, tout mouvement de citoyens prenant en charge une difficulté sociale me soulage. Folie ? Celle-là me convient. Rien qu'à voir ces courageux, ces généreux de leur temps, à la télévision ou sur le terrain face à l'adversité, j'éprouve une satisfaction égale à celle que je ressentirais si ces gens de qualité travaillaient pour mon bien-être. Toute action en faveur de la population de ce pays me réchauffe, me rassure. Si j'ai longtemps fondé des associations ou suscité des mouvements d'utilité publique, ce n'était pas pour garantir à mon âme je ne sais quelle carrière ultérieure mais bien pour panser un pays sur les nerfs dont, physiquement, je ne supporte plus les déroutes sociales, ni – surtout – les Sedan éducatifs. A dire vrai, me dérober à mes responsabilités civiques me donne le dégoût de moi. Vieille affaire qui date de mes toutes premières meurtrissures de Français ! N'avais-je pas naïvement promis à quinze ans à mon père finissant que je prendrais un jour soin de la nation en engageant toutes mes maigres forces ?

J'ai lu bon nombre de Mémoires d'individus qui, autour de juin 1940, passèrent par Londres pour n'y pas rester. Les uns et les autres évaluaient leurs intérêts privés, leurs espérances professionnelles. C'est le cas d'un diplomate aussi sympathique que Roland de Margerie ou d'une canaille comme l'écrivain de grand calibre Paul Morand, l'un des rares Français présents à Londres le 18 juin 1940 et qui, outré par le désobéissant étoilé, fila opportunément servir... Vichy ! On a l'instinct politique qu'on peut. Peu souffrirent comme toi, Charles, de l'enfoncement de notre peuple, de la liquéfaction de notre Etat, au point de ne plus penser qu'à son relèvement, pour continuer à respirer, pour apaiser ta peine affreuse. Dans une lettre adressée à Vincent Auriol, en date du 28 mai 1958, tu te dévoiles, après t'être indigné que l'on t'ait une fois de plus empêché de tirer d'affaire la République : « Quant à moi, je n'aurai plus, jusqu'à la mort, qu'à rester dans mon chagrin. » Le grand mot de *chagrin* est lâché, si juste quand on a sondé tes désirs vitaux.

Souvent, on s'est étonné de ton rapport d'extraterrestre à l'argent, singulièrement désintéressé, sans bien saisir que tout ce que tu as accompli tu l'as osé non par intérêt – même minime – mais bien pour soulager l'horrible souffrance qui te tenaille depuis l'enfance dès lors que tu n'es pas à même de protéger *la princesse des contes ou la madone aux fresques des murs.* En 40, Hitler viole ta bien-aimée et veut loger sa soldatesque sur ses terres ; cela ne pouvait pas être.

Cette douleur physique, je l'ai éprouvée pour la première fois à quatorze ans (mon haut délire commença tôt). Je me trouvais en Suisse dans le bureau de mon grand-père paternel avec sa secrétaire et maîtresse que l'on surnommait avec tendresse Zouzou. Il fait beau. Un été vaporeux règne sur le lac ardoisé que l'on aperçoit par les fenêtres qui semblent ouvertes sur des toiles de Canaletto. Zouzou me raconte comment son vieil amant qui la subjugue, Jean Jardin, répartit le numéraire du patronat français lors des élections présidentielles de 1974, en donnant *un peu plus à la droite mais pas tellement plus.* L'industrie et la finance, précautionneuses dans leurs largesses, s'achètent de futures bienveillances. En clair, des marchés à venir. J'apprends la marche d'un certain monde, consternant.

En souriant, elle précise : « Pour François Mitterrand, c'est son frère Robert qui prenait les valises de billets. Il n'avait confiance qu'en lui.

— Et Giscard ?

— Il les lui remettait directement.

— Giscard recomptait les liasses de biftons ? A quatre pattes sur le parquet ?

— Oh non ! Ça ne se passait pas comme ça ! »

Tandis qu'elle me détaille la procédure, entre gens du meilleur monde et de belle éducation, je repense à tes *Mémoires de guerre,* mon vieux Charles, à l'exemplaire usé que cette gentille prostituée m'a offert, et je suis saisi de relents nauséeux. Ces individus-là capables de tripatouillages – Jean et tous ceux qu'il finance dans l'ombre en cash – souffrent-ils intensément toutes les fois que la France est atteinte dans son honneur ? dès qu'elle cesse d'être elle-même, donc nécessaire à notre espèce ? Zouzou termine son récit et, l'âme lourde, je reste écœuré de m'appeler Jardin et non de Gaulle, de porter un nom de livreur de valises et non celui d'un inventeur d'espoir aux mots dignes de figurer dans le clair-obscur des bibliothèques.

Le soir même, je relus dans mon lit des passages des *Mémoires de guerre* – ce bréviaire de la grandeur qui, déjà, était ma réserve de potion magique – pour m'apaiser et me remplir une fois de plus de la manière d'être de Charles, tout en me promettant quelque jour de moins souffrir – si le destin juge à propos que je m'expose pour les autres. Etre français reste pour moi un enthousiasme, un défi à la médiocrité, pas une nationalité (ça y est, mon délire reprend) et, désormais, la France c'est nous, notre génération chargée de la refaire pour qu'elle recommence à exercer sur l'Europe sa mission, celle d'une magistrature d'esprit, au lieu de la démoraliser sans cesse. Dans le grand bastringue noir que nous vivons, je vois hélas arriver la fin abrupte des ambiguïtés sédatives. Trop de chômage. Trop de cirques publics pour des réformes que chacun devine factices. Trop de cœurs se sentent indésirables, inécoutés par Paris. Trop de gens qui, plongés dans l'extrême détresse, lâchent la rampe. Le triste butoir auquel nous sommes acculés approche. L'horrible sensation d'avancer à toute force pour seulement ne pas reculer ne peut durer éternellement. Vient un moment où l'habitude de la gîte devient folie et où la paupérisation accélérée se fait la complice du désordre spontané. Les objurgations gouvernementales effraient (d'autant plus qu'elles paraissent sincères) quand elles devraient affirmer des caps crédibles (donc crus) sans déroger à rien, sans ménager les intérêts. Ces hommes et femmes plus que médiocres sidèrent par leur refus de chevaucher les institutions puissantes léguées par Charles. On ne comprend pas pourquoi les caractères de premier talent ont soudain quitté la scène. Dans cette panade, le pouvoir pourrait bien – à l'issue de je ne sais quel pataquès ou imposture supplémentaire – glisser subrepticement des mains de ceux qui s'illusionnent au point de croire qu'ils le tiennent, sans pour autant tomber dans celles d'une opposition qui, étrangement, croit encore au balancier des alternances alors qu'elle n'est toujours pas espérée. Là est bien l'inquiétude pour tout démocrate viscéral. Il n'y a que dans les cerveaux boboïsés que l'Histoire s'est arrêtée et que les fulminations de la nation ont cessé d'être dangereuses en certaines circonstances. Privé d'avenir réel, le peuple malmené et nié dans ses souffrances par ses élites pourrait fort bien ne plus jouer le jeu et, paradoxalement, se jeter au cou du plus menteur et du plus aboyeur. Charles savait ces choses-là, comment surgissent les déflagrations politiques lorsqu'une impuissance qui s'imagine un pouvoir se retrouve face à une rue hors de contrôle, confrontée aux réfractaires en tout genre, aux recrues d'émeute jaillissant du délitement universel qui exagère les passions. Quand un fleuve coule à pleins bords, il suffit d'une faible crue pour que les digues crèvent.

En tournant les pages de son ahurissant volume, se mit en route l'étrange dialogue que j'entretiens encore avec Charles, ce mort si vivant qui fait entrer un peu de futur dans notre présent. Sans doute parce qu'il sut faire vibrer la corde identitaire pour permettre à notre pays de quitter le canal bourbeux de ses habitudes, et pour nous affranchir du tribalisme de ses élites républicaines. A quarante-huit ans, ma joie intacte reste de subir son empreinte, de courir le matin vers sa statue de bronze qui me donne rendez-vous en bas des Champs-Elysées et de continuer à le regarder comme un confident fiable. Aurai-je bientôt, avec tous les amoureux de sa dinguerie, assez de cœur et de ressort pour soigner les déroutes de ce pays ? Afin d'atténuer mes affreux chagrins… et de contribuer au retour de notre joie nationale, de notre ambition universaliste ?

Si l'heure vient de tenir mon ancienne promesse, Charles, je ne courrai plus jusqu'à ta statue parisienne. J'irai sur ta tombe à Colombey, en Lorraine, pour t'assurer que la France ne jettera pas l'éponge ; et afin que tu pries pour nous. Tu suppléeras, je le sais, à ma foi très défaillante. Dieu est pour moi une opacité. Je te supplierai alors de désigner dans nos rangs un Charles II naturel, la personne juste – parmi les politiques consommés, s'il en reste alors non rejetés par la nation et non inquiétés par les juges ou les organes de presse purificateurs –, capable, je le répète, d'apporter son crédit à la fonction présidentielle. Et d'engager ses défauts exagérés autant que ses qualités à notre service. Peu importe son nom si son cœur est non pas *gaulliste* mais charliste dans ses réflexes. J'en connais de gauche comme de droite, de fastueux comme d'aptes au dépouillement, de libertins comme de plus tempérés ; mais pas de mesquins, ni de godilleurs, ni d'effrayés par leur propre puissance ou détermination. Ton Dieu batailleur, allumé d'amour pour ses ennemis et si tendre avec la France, nous portera chance, je le sais, pour inverser les vents de l'Histoire, défier l'ordre établi et seconder le mouvement populaire qui fermente déjà. De là où tu es, Charles, tu nous soutiendras lorsqu'il nous faudra résoudre des équations insolubles, quand l'adversité mondiale nous contraindra à débrancher nos vieux logiciels. Toute cette pensée désuète – que l'on a tenté de m'inoculer lors de mon séjour à Sciences-Po dans les années 80 (credo du saint paritarisme et autres dogmes fossiles, mépris de la coopération avec le tiers état de la blogosphère, sophismes politiques aux suites terribles, etc.) – qui nous néantise et qui sera balayée d'un coup comme le régime des partis le fut en 1958. La fausse monnaie ne peut pas être toujours dépensée par les honnêtes gens. Aucune exclusion de principe n'affaiblira plus notre liberté mentale retrouvée, exquisément déjantée. De vieux nœuds se déferont dans nos raisonnements. Nous n'oublierons pas que l'action qui s'éloigne des *moyens ordinaires* – pour mettre fin à l'orgie budgétaire, il le faudra bien – ne comporte jamais assez de littérature. L'effort de discontinuité sera énorme pour que l'esprit de gravité de notre époque se dissipe. Les dépensolâtres (ceux qui rabotent à la marge et avec honte les débris de nos finances...) devront être blackboulés fraternellement hors de la sphère publique avec leurs idées calcifiées. Fraternellement car les révolutions durables sont filles de la tendresse pour notre espèce et d'un amour profond pour l'intelligence des autres. Le doute n'étant pas ton fort tu nous fourniras, si ce jour vient, l'entêtement qui ne manquera pas de nous faire défaut. Ah, l'effrayant programme : *se tenir droit et viser haut !* Sans pour autant se croire infaillible – probité n'est pas perfection. Et en étant si nécessaire tricard chez les sachants du moment, grotesque aux yeux des sérieux qui ont cautionné notre chute. Sois-en sûr, nous aurons l'ambition de déplaire aux zélotes de la prudence qui ne voient plus nos ressources. Consternons-les ! Pas de rupture sans idées de rupture qui dépotent. Il n'y a d'initiative digne de ce nom que lorsqu'il y a prise de risque.

Dans les prés lorrains qui environnent ta tombe nue que je connais si bien, tu nous interdiras de pactiser avec l'humanisme de façade, émollient, ce prêchi-prêcha sans cœur réel incarné par de vieux adolescents qui, imbus de leur prétendue supériorité, fustigent les populismes prédateurs sans dézinguer les conservatismes qui les font naître ; et tu prendras plaisir à nous rappeler l'impérieuse nécessité de mimer l'Histoire de France, ton album de famille. Ton précédent nous imposera de regarder avec cœur tout le réel, sans négliger celui qui a mauvaise presse, et de rechercher l'élément de vérité dans les trompe-l'œil du présent. Avant que les populismes poisseux (les vrais) et les clowns sinistres aux indignations scénarisées ne frappent trop fort à la porte de nos urnes ;

le primat des démagogues n'est pas loin. Avant, surtout, que notre pays en débâcle se désaime au point de jouer le rôle de l'iceberg de haute mer qui pourrait bien envoyer notre Europe par le fond – prélude à on ne sait quel retour du tragique qui pourrait déshonorer notre génération. A notre tour, parlant le langage de l'idéal (sans trop nous guinder au-dessus de nous-mêmes, rassure-toi Sacha !), il nous faudra utiliser ton héritage londonien pour que la France redevienne une partie formidable à jouer, une espèce de jeunesse du monde. Recharlisée, la politique se changera – si cela advient dans une bouffée d'enthousiasme aventureux portée par le net – en claire entreprise de bonheur public, en authentique épopée éducative et non en curée de teckels, de rats et de bassets unis par des ressentiments d'épiderme. Notre peuple attend sa joie de réapparaître sur les écrans de l'avenir. Nous nous souviendrons alors des railleries ineptes dont tu fus si souvent l'objet. Heureux, et sans doute un peu ridicules, outillés comme nous le pourrons intellectuellement, enchantés de refondre des systèmes à bout de souffle, bravant mille suspicions, nous ferons fructifier le résidu de grandeur que tu nous as déposé dans l'esprit. Aurons-nous la gaieté d'âme, j'allais écrire la belle inconscience, d'évoluer comme toi *dans le roman que nous nous raconterons* ? En étant dupes de nos fictions très réalistes ? Et en négligeant les pisse-vinaigre qui ne manqueront pas de voir de la cécité dans notre clairvoyance ou de la mesquinerie là où il y aura générosité ? Je n'en doute pas. La vie est une histoire d'effrontés qui gagnent à la fin.

Charles, je te le murmure en confiance : nous n'aurons pas besoin de miracles, si nécessaire nous les ferons. A notre mesure, en faisant le tri dans les vieilles passions françaises. L'habitude de faire des prodiges devra revenir à Paris, requérant chez ceux qui les opéreront un culot insensé, à la mesure de notre enlisement. Mais n'avez-vous pas improvisé, toi et les tiens, votre part de miracles euphorisants – strictement impossibles sur le papier – dans les sables de Bir-Hakeim (votre première victoire, la plus funambulesque, avec des moyens qui ne tenaient qu'à un fil) puis quand tu levas des armées sans budget, en Afrique du Nord, et lorsque tu inventas, sans rire, une France légitime au bord de la Tamise ? Un Etat *miraculeux* qui n'avait pas d'autre support que tes rêves d'ex-enfant ! Notre génération serait-elle moins apte à faire de la France un gigantesque pari ? D'emblée, je le refuse.

En relisant ce chapitre, j'hésite soudain à le rayer.

Faut-il imprimer dans un livre – cette capsule destinée à voyager dans le temps – des émotions et une ardeur liées aux circonstances ?

Est-il prudent de fixer des paroles qui annoncent des engagements qui dépendront de l'Histoire remise en route tout autant que de ma pugnacité ? Ma fièvre présente aura bien un jour l'odeur d'un épisode éventé. Quand le courage d'être français sera revenu à Paris, le pays ne sera pas toujours cul par-dessus tête.

Eh bien je maintiens ces lignes.

Je veux que l'on sente à quel point Charles, quarante-trois ans après sa disparition physique, inspire un français comme moi en lui donnant le désir de se cabrer contre la fatalité. L'Histoire se laissera bien faire encore une fois par quelques déments de son espèce. Ce spectre des temps anciens conserve le pouvoir d'ordonner l'avenir.

Cet optimisme, je le tiens également de mon ami Giacomo, un expert en liberté qui eut le talent de placer tout son bonheur dans l'instant et qui, lui aussi, avant Charles et Sacha, ne marcha guère au bras du principe de précaution ! Giacomo l'impudent reste le seul consultant capable de me faire renoncer. Que l'on ne s'étonne pas que je me permette de le désigner par son prénom. Je suis envers cet exagérateur prodigieux, sur un pied d'intimité suffisant pour m'autoriser toutes les familiarités. De sa mort, je porte le deuil prolongé ; mais un deuil festif !

JOUIR

La plus intelligente des manières d'être

Casanova ? Je suis fou de son cœur intelligent, de son déjantement et de sa manière de prendre la gaieté très au sérieux. La joie de ce professionnel de l'insouciance a instillé dans notre identité nationale ce je ne sais quoi de « libre dans toute la signification de ce mot », comme il le dit. Fastueux et sans le sou, ce forban d'exception a hautement contribué à faire de Paris l'épicentre d'une certaine liberté rassasiante, jubilatoire ; pour le corps comme pour l'esprit. Qui en France ne le situe pas, ne reçoit pas encore un peu du rayonnement de sa façon d'être ? Ne chicanons pas sur l'influence bienfaisante de Giacomo et celle de ses disciples qui, au bord de la Seine, raisonnent toujours avec leurs sens. Mais personne ne m'a fait aussi peur. Son précédent – qui contredit la maussaderie de notre temps – me panique. Grâce à lui, on sait qu'il est possible de changer son sort en un divertissement sans fin. Français, ne gâchez plus vos journées, exultez ! Quelles que soient vos trouilles (légitimes), faire du plaisir un inflexible principe reste à votre portée !

En pleine crise qui rapetisse nos rêves, Casa, ce dévot de la chance, nous invite à l'inconséquence délicieuse, à entreprendre sans répit et à jouir de l'existence sans aucune limitation. A la française (puisque le voilà naturalisé par mes soins). Tout son être revigorant – et inquiétant – nous crie : *ose ! ose ! ose !* Jamais fatigué du bonheur, imprévoyant comme personne, généreux des coups de théâtre qu'il fomente avec ingéniosité, de sa semence qu'il distribue libéralement, ce Vénitien ivre de notre langue reste un antidote contre la désespérance qui nous obscurcit ; et je ne serais pas fâché que l'on me découvre quelque gène solaire issu de son génome (hélas, il est né trop tôt pour que ma grand-mère s'en soit chargée). Personne n'a mieux que lui bénéficié des sourires du hasard parce qu'il l'aima passionnément. Le degré de félicité que Giacomo atteignit dans l'Europe des Lumières ne se peut concevoir. Lui aussi se conforma gaillardement au personnage qu'il avait d'abord enfanté, à son rêve léger de la vie, en montrant un fabuleux tropisme pour l'intrigue. Tout lui fut un plaisir, une fête, un assouvissement – même l'adversité dont il se joua si souvent.

Son enthousiasme permanent fut-il une pose, une habileté de séducteur ? Je ne le crois pas. L'Arquebuse disait que cet immense porteur de joie – dont la nature enjôleuse répondait si bien à l'humeur de ma famille – était trop paresseux, et surtout trop ami de ses aises, pour s'imposer une perpétuelle attitude qui n'aurait pas été spontanée. Chaque jour, sa très reprochable (et merveilleuse) existence me rappelle qu'être né en Europe demeure un coup de dé gagnant, fût-on mal loti, mal considéré et mal parti (ce qui fut triplement son cas), pourvu qu'on ait le talent d'être *casanoviste* ; entendez par là assez avisé pour explorer les nuances de la vie par le plaisir, en convertissant le moindre tracas en délice.

Sa capacité de désinvolture est à proprement parler sans bornes ! Presque égale à son désintérêt pour le sublime car la curiosité de Giacomo pour la vie se réduisit, il faut bien le dire, à l'organique palpable, à ce que ses sens purent appréhender – ce qui, parfois, ne laisse évidemment pas de me heurter. Il croit ce qu'il lèche, hume, caresse ou gobe. Sans doute s'étonnera-t-on qu'un charlophile invétéré, gorgé d'idéalités et de promesses austères, puisse être également influencé – pour ne pas dire sidéré – par un fantaisiste pareil, bouffeur de présent et avide de menteries lucratives. Un antimétaphysicien par excellence.

On ne peut nier que tout oppose ces deux directeurs de conscience. Giacomo est l'exact négatif de Charles, son revers brodé d'or. D'un côté la prévarication cocasse, inventive, pratiquée par un panier percé qui mena dix existences en une, de l'autre la probité sourcilleuse, le mépris même de la prodigalité et l'habitude de tutoyer l'héroïsme. Le Lorrain gonfle sa voix pour la patrie dans les studios de la BBC, le Vénitien chante sur une gondole pour son amante épanouie. Le premier tend le menton, le deuxième se prend à la légère. L'un est droit, l'autre oblique. L'un est une volonté pure, l'autre un corps pur. L'un efface ses désirs, le second exulte de célébrer les siens avec l'allégresse du déluré. L'un est l'obsédé d'un grand dessein, le deuxième turbule à l'année et révère l'inconstance qu'il tient pour une haute vertu. L'un répond sèchement au destin, l'autre lui sourit en travaillant à l'anarchie. L'un défie l'Histoire, l'autre danse le menuet, se couvre de dentelles, de déguisements. Jamais il ne viendrait à l'esprit de Giacomo de chercher noise à sa tranquillité ! Le premier convoque la grandeur et célèbre l'engagement, le second n'épouse que le hasard en lui faisant de sublimes enfants. Le Français nous invite à prendre le risque de vivre une épopée verticale, l'Italien (désormais francisé) préfère – et de loin – les aventures horizontales. Le militaire transi de passé rit gravement en regardant la mort en face, le trublion rit en bouquet d'artifice, de toute sa carcasse, pour se libérer des contrariétés. Quant à la politique, Giacomo ne s'en est jamais gavé comme Charles. Il l'a toujours tenue pour une farce désopilante et une source de revenus. Tout en restant libre. *Payé, pas vendu,* dira l'excellent Mirabeau.

Quelle sorte de type suis-je pour aimer de telles dissonances ?

Divisé contre moi-même, il est exact que je n'ai pas (encore) d'unité. J'aime faire demi-tour à gauche puis pivoter à droite avant de m'en aller en marchant sur les mains ou sur un fil. Mais suis-je le seul ? On peut pleurer le 18 juin et enfiler des masques à Mardi gras. Politiquement, il m'arrive de me sentir ambidextre tant je suis boulimique des croyances étrangères aux miennes (je m'en régale). Je suis hélas pluriel, avide de toutes les manières d'être français (à l'exception des ennuyeuses). D'où ma capacité à être mégalo et à en rire de bon cœur ; car il y a du risible dans mes rodomontades proférées par un écrivaillon qui sent le pitre à plein nez (mais après tout l'humoriste Pierre Dac ne fut-il pas un speaker de la France libre sur Radio Londres ?). La nature m'a fait volontiers réversible, aussi tendu que frivole, hésitant entre des visages : un tiers histrion sachatisé, un tiers citoyen tourmenté par notre glissade nationale, un tiers jouisseur olympique. A chaque seconde, je lutte contre une boussole interne qui indique au même instant trois points cardinaux. Entre une Cadillac blanche, une DS noire officielle et une décapotable italienne, mon cœur balancera toujours. Au point que je circule en scooter…

L'art d'être sainement contradictoire n'est-il pas celui de demeurer vivant ? Et puis, j'aime que ces trois grands adversaires de l'ennui aient eu la sagesse de faire de leur sort une œuvre ! En désaccord avec le monde tel qu'il est, ces insoumis eurent la dignité de se conduire en personnages du monde tel qu'il devrait être. Qu'on me pardonne donc ma pétulante passion pour Giacomo, l'anti-Charles par excellence. Ce virtuose de l'inconséquence mérite nos hommages appuyés, voire un peu de déférence en dédommagement des jugements sommaires qui l'accablent depuis deux siècles. On l'a si vite réduit à un frénétique du coup de rein minuté qui, avec veulerie, se serait accordé toute licence sensuelle sans prendre garde aux êtres. Comme si la peau n'allait pas plus loin que la peau ! Le grand Stefan Zweig a même écrit de lui avec sévérité : « l'âme lui manque complètement », « il est complètement fermé à la beauté ». Alors que le savoir-être de Casanova demeure sans nul doute le plus beau legs que la Providence ait jamais fait aux femmes et aux hommes désireux d'explorer le franc bonheur. A qui désire décrocher une félicité maximale, impossible de ne pas tirer profit des secrets recyclables que l'enchanteur de Venise a laissés au genre humain et à la France en particulier.

Passionné des raideurs de Charles, je le suis donc tout autant des arabesques et des « cavalcades » de Giacomo, si distinctes des sachateries qui m'envoûtent. Guitry règle toute difficulté par le jeu, Casanova par le plaisir. L'un fait rire, l'autre rit ; il y a là plus qu'une nuance. Lequel des deux a le mieux raison ? Sacha est un anxieux qui se défend en jouant perpétuellement, Giacomo un dilettante-né, un prince du désœuvrement et de l'improvisation farcesque. Sa fièvre a achevé de me déséduquer, de m'alléger de mes opinions lourdes, incarcérantes, et de compléter ce que Charles Ier, ce libertaire méconnu sous un képi, a pu me loger dans l'esprit à coups d'exordes martiaux. Pourtant, je n'ai pas (encore) été plongé dans les affres d'une grande époque de décomposition sociale où, on le sait, les cœurs s'égarent facilement dans leurs contradictions. Ce troisième amour, venu tardivement dans ma vie – comme une grâce de la quarantaine –, est même né dans une charmante quiétude.

Un après-midi ensoleillé où je me trouvais chez Dizzy (mon cher éditeur, une sorte de Pic de la Mirandole rieur), dans son jardinet à la française, à Paris, en train de lire ses fameux *journaux troués* (son secrétaire particulier a pour tâche de retirer avec des ciseaux les articles des quotidiens et magazines où l'on ne flatte pas les amis de son patron ; toute contrariété paraît à Dizzy une horrible faute de goût), j'entendis la voix très timbrée de sa maîtresse sud-américaine un peu cosaque. Occupée au premier étage à se faire photographier dans des postures lascives par une gouvernante blasée et fanée, elle l'appelait *Giacomo.* Lesdits clichés seraient ensuite, comme de coutume, reliés au Chili pour former un calendrier suggestif à usage très privé (véridique). Exquise attention, n'est-ce pas ? Puis, après avoir décommandé une call-girl de prix que cette femme avait un temps – fort obligeamment – pensé offrir à Dizzy pour compenser ses faiblesses érotiques (dues à un effroyable *jet lag*), elle partit, céleste, faire des courses en lui donnant une nouvelle fois du *Giacomo.* Leurs amours ont ce quelque chose d'incroyable qui, d'emblée, les propose à l'attention de l'Europe ; et peut-être à son admiration. Aux oscars de la créativité sentimentale, ces deux-là rafleraient toutes les statuettes. D'un pas élastique malgré le décalage horaire, l'impeccable Russo-Chilienne – le dégagé de son cou aristocratique et sa silhouette allurée eussent ébloui ma grand-mère – disparut pour lui procurer un costume fait sur mesure chez le tailleur de James Bond. Le seul qui permette à mon éditeur ingambe et au ventre plat de s'aventurer dignement dans les couloirs mal famés des éditions Grasset (d'où mille dangers peuvent surgir). Dès que nous fumes seuls, je lui demandai le pourquoi de ce petit nom. Dizzy était-il un peu italien ? S'agissait-il de son deuxième prénom ?

« Non, elle m'appelle Giacomo pour attirer sur moi le bonheur.

— Ça marche ?

— Très bien. Quand je réponds à ce prénom, je peux traverser le boulevard Saint-Germain sous une pluie battante sans être mouillé ou refaire l'amour jusqu'à cinq fois. Même debout. Que demander de plus ? Et quand je joue aux cartes, je gagne ! »

Puis il ajouta sur un ton de confidence, à mi-voix : « Giacomo prétendait que toucher certains mots de son livre – *jouissance, sensualité,* etc. – augmente nos facultés naturelles... Eh bien c'est tout à fait exact ! Je parle d'expérience ! Se délier de son héritage est une faute de goût... Toi qui aimes le rapide, le mince, le vivace, tu ne peux que l'aimer ! »

Me voyant crispé, mon éditeur précisa : « Tu peux admirer ce charmeur sans tromper ta femme ! Tu ne l'as jamais lu ?

— La mère de papa m'en a bien lu quelques pages, avec ferveur, mais c'est déjà ancien... »

Le lendemain, Dizzy le bienheureux – alias Giacomo – faisait généreusement déposer chez moi son propre exemplaire de l'autobiographie en français du plus grand athlète de la joie que l'Europe ait jamais produit : *Histoire de ma vie.* Ouvrage énigmatique, bouffon, angoissant de séduction, merveilleusement impudique, incessant d'initiatives et très ensorceleur dont le prince de Ligne – qui en vérifia l'effet sur sa personne – déclara avec franchise : « Un tiers m'a fait rire, un tiers m'a fait bander, un tiers m'a fait penser. » Etonné, je manipulai l'énorme volume auquel ne manquait... pas une page ! Alors que Dizzy, plein de manies d'esthète et d'originalité foncière, partage une vieille habitude avec J. Joubert, l'ami intime de Chateaubriand : il déchire de chacun de ses livres les pages qui lui paraissent faibles, ayant de la sorte une bibliothèque *light*, propre à son usage pressé, remplie d'ouvrages évidés, purgés de leur gras, mal pris dans des couvertures devenues trop grandes. Un gisement de pages sauvées qui rassemble la pléiade d'auteurs avec qui, comme il le dit, il a appris à *rater sa vie*. Mes propres ouvrages édités par lui, même les moins exécrables, se résument à deux ou trois feuillets qui flottent sous des couvertures larges. De mes *Gens très bien* ne subsistent que cinq pages et demie (un record !). L'œuvre de Proust elle-même a subi chez Dizzy de singulières amputations (même s'il le nie) ; mais dans *Histoire de ma vie*, pas un feuillet ne manquait à l'appel !

A mon tour, sur les instances de Dizzy, je descendis le fleuve de ces pages très physiques, manipulatrices, douées de la vivacité du feu, et n'en suis toujours pas revenu : la totalité, ample, fluide et tapageuse – un cabaret itinérant, une échappée drolatique dans l'Europe des Encyclopédistes –, m'a procuré un allègement rare. Casa y avoue l'inavouable avec santé, sur un ton inusité, franc jusqu'à l'indécence, qui donne une prise extraordinaire sur le cœur de qui le lit. On sent qu'il a rédigé ces pages follement impudiques car, comme le dit Zweig, *il n'a plus d'obligation envers personne.* Impossible de ne pas être séduit par sa verve foisonnante, un souffle dont la littérature maigrichonne d'aujourd'hui perd jusqu'au souvenir. Le style projette avec naturel des étincelles de bonheur, jaillit de son pétillement intérieur et maintient le récit dans le mouvement de l'émotion primitive. Quel apaisement de le voir enchaîner les victoires circonstanciées ! Les femmes – qui ne sont jamais une multitude mais bien des cas particuliers (en amour, je hais les grossistes) – se découvrent à tout point de vue dans ses bras, s'étonnent de leur propre libido sulfureuse. Chérissant la vie, il ne les abuse pas ; il les branche sur leur propre liberté. L'Italien puise à profusion dans les ressources de la langue française pour ciseler des vérités profondes souvent grimées en paradoxes. Son âme, on le sent, n'a jamais été faussée par le malheur. Le vieillissant Giacomo demande l'amitié et l'obtient. Ses pages authentiquement bénéfiques – tout en suscitant chez moi un vif dérangement – invitent à la dédramatisation de tout, à l'intelligente frivolité, à ne pas prendre au sérieux les morsures de l'existence. Chaque revers, même sévère, y trouve une solution surprenante synonyme de plaisir cocasse. Ses recours, il les emprunte chaque jour au magasin des miracles. Lire Giacomo met en branle un soi plus amusant, plus bondissant, lui-même engendrant des idées réveillantes qui, toutes, finissent par générer (du moins chez moi) une fantastique part d'anxiété. Jusqu'où peut-on s'engager dans son sillage ? Se peut-il, sans causer d'incroyables dommages collatéraux, que l'on s'abandonne avec une telle jubilation, sans aucun frein, aux mille opportunités de l'existence, en récusant l'idée même de la prudence, en pariant toujours sur les ressources de la Providence ?

Depuis ce jour béni, mon épouse m'appelle Giacomo dans le privé et même Casa les jours de fête – moments divins où, dans une indulgence plénière, je m'autorise tout. Les bulles de champagne ont dans ma vie enfin remplacé celles du Coca-Cola, les vers de Virgile (le poète, pas mon fils) mon quotidien du soir qui, à présent, m'apparaît délétère – voire carrément toxique. Quant aux pessimistes poisseux et aux journalistes atrabilaires qui font à la télévision des interrogatoires de petite police et qui, endossant le rôle d'accusateur public, vouent les grands baiseurs à l'échafaud, je les tiens désormais pour transparents ! Le besoin même de contredire ces êtres chafouins m'a quitté. Moi, le chantre de la monogamie burlesque, défendue dans moult romans allergiques à l'infidélité, j'ai été transporté par ce cœur nomade, conquis par son impétuosité, ses curiosités protéiformes, ses inventions lucratives et son sens aigu de l'imprévu qui lui fit avouer au couchant de sa vie : « Rien ne pourra faire que je ne me sois amusé » (pas mal, non ?).

Hélas, ses aventures galantes ont occulté sa façon d'être si puissamment intelligente. Impossible de lire le récit de cette existence histrionesque – qui diffuse littéralement un champ magnétique de bonheur – sans être saisi par une sensation d'euphorie, de réchauffement et de confiance dans le destin. Face à cette prose, l'esprit éprouve un bien-être total et se trouve dans une situation harmonieuse où plus rien ne le déçoit et où tout charme enfin. Les mal renseignés s'imaginent que Giacomo serait un cousin du fripouilleux Don Juan – ce qui relève de l'erreur grossière, amplifiée par mille perroquets – alors qu'il est, et avec quelle humeur, le frère jumeau de l'insouciance ! Un frère qui surgit dans une lumière à demi féerique et s'évanouit dans des fous rires un peu bohémiens. Le lugubre Don Juan défie l'Enfer, la Loi ou Dieu ; l'irrésistible Casa, lui, collectionne les jouissances sans transgressions, partagées avec générosité : « Le plaisir que je donnais à mes amies composait les quatre cinquièmes du mien. » Rien à voir avec un érotomane doté d'un marteau-piqueur à la place du sexe. Nous avons affaire à un zélateur du coït féminin, à un apôtre des droits imprescriptibles du clitoris. Les éjaculateurs précoces le navrent. Son véritable secret ? Giacomo est constamment sincère. Et les femmes le flairent. Chez cet énergumène, la dissolution de tous les freins est charmante, raffinée : dans ses manèges, l'Italien a du sentiment. Rien à voir avec un maniaque de l'assouvissement. L'égoïste poursuite d'une avidité l'ennuie et la vulgarité libidineuse tue en lui sûrement l'appétit. Il ne cède à son désir qu'avec cet élan du cœur qui seul confère à la possession son vrai prix. Ce qui le distingue nettement de ses contemporains futiles qui vivaient alors, il faut bien le dire, sous le régime continu de la distraction où il n'y avait guère d'affection profonde ; on n'en avait alors, à Paris comme à Rome, que d'épiderme. Contrairement à ce que l'on a beaucoup dit et écrit, Giacomo n'est pas mêlé à la sensibilité – ou plutôt l'absence de sensibilité – d'un XVIIIe siècle féru de sensibleries outrées, confinant parfois au grotesque, qui tournent à vide. L'amour physique ? Casa le *dorlote*, comme il le dit, et n'opère que dans l'émerveillement des belles. La vision mécaniciste de la chair a toujours fait bâiller notre esthète. Rien non plus d'un expert en manipulation, en forçage des cœurs. Le froid Valmont l'eût détesté. Mme de Merteuil aurait, j'en suis convaincu, refusé sa semence et banni son authentique bonne humeur. Tout au rebours de sa légende,

Casanova est l'ami et le confident des femmes – grandes victimes d'un siècle où la rareté d'un attachement authentique était la règle – parce qu'il les voit et les considère comme personne. Il ne les écoute pas, il les entend ; même quand elles ne parlent pas. Comme il le déclare lui-même, Giacomo est un amant *non pas inconséquent mais sans conséquences.* Entendez indolore pour ces dames, exempt de la moindre muflerie, assez tendre et délicat pour n'être jamais pesant ; ce qui est une politesse.

Mais la clef de son formidable effet sur moi est ailleurs : ce Vénitien s'est, comme Charles et Sacha, *imaginé lui-même* avec l'obsession de s'arracher au prosaïsme pour s'élever au grade de personnage de roman ; comme si dès le début de son épopée il avait eu la certitude qu'il écrirait un jour le grand livre de sa vie privée. Son quotidien en est le brouillon ; et quel brouillon où se dessine une telle disposition à la joie ! Rostand imagina Cyrano, Dumas d'Artagnan, Hergé Tintin ; Giacomo eut le génie de créer Casanova, cette bonne nouvelle pour notre espèce. La « chasse au bonheur » l'obsède littéralement. Chez lui, l'imagination de soi est clairement aux commandes. Obsessivement inspiré par les délices concrets, il a composé avec méthode, de A à Z, le caractère qui, sur cette terre, pouvait obtenir le maximum de plaisir d'un corps fêté et d'un esprit délié. Fidèle à sa *volonté de joie,* cet exceptionnel *praticien du bien vivre* a constamment la fièvre du bonheur. D'emblée il annonce dans la préface de son livre : « Cultiver les plaisirs de mes sens fut dans toute ma vie ma principale affaire ; je n'en ai jamais eu de plus importante. Me sentant né pour le sexe différent du mien, je l'ai toujours aimé, et je m'en suis fait aimer tant que j'ai pu. » Plus loin, il précise son credo : « Le lecteur qui aime à penser verra dans ces Mémoires que n'ayant jamais visé un point fixe, le seul système que j'eus, si c'en est un, fut celui de me laisser aller où le vent qui soufflait me portait. Que de vicissitudes dans cette indépendance de méthodes ! » Giacomo entend ignorer la morale publique (sage précaution), les pièges du remords (faute atroce), les solutions non farfelues (à proscrire), les stupides passions tristes (que j'exècre) ; et il y parvient avec maestria en prenant l'Europe galante pour terrain de jeux ! Certains de ses amis, dont je suis, l'appellent *Aventuros.* Qu'un tel affranchi soit advenu est, pour nous tous et pour nos enfants, une grâce, et sans doute la meilleure nouvelle de l'année. Ce livre doit sortir des bibliothèques pour gagner la rue et enseigner à tous comment étreindre le monde en faisant confiance au destin. Ami de la pitrerie et des paradoxes, Aventuros s'est tant amusé qu'il émane de sa prose flexible une humeur véritablement transmissible ! De A à Z vous ai-je dit ?

Leçon numéro 1 : l'art de modifier son regard

Un jour de chance – bien avant que Dizzy ne m'offrît le récit des tribulations de Giacomo –, j'aperçus dans la rue, à Paris, une très lointaine conquête qui déambulait au bras de Philippe Sollers, l'écrivain de trente ans mon aîné. Un casanoviste de métier, sans commune mesure avec les médiocres jouisseurs, qui a contracté très jeune, lui aussi, l'habitude de sourire et la passion de l'étonnement sensuel. Rien à voir avec les raisonneurs sans illuminations. A lire ce dévot de la pensée véhémente (compliment maximal, j'exècre les tiédasseux), il semble bien que tout son quotidien soit indexé sur ces mots : étonnement, présent, sensualité... Dans mes bras, autrefois, cette beauté diaphane battait des records de morosité, de frigidité et de plainte. Geindre l'occupait. Son corps était triste. L'univers semblait n'avoir été créé que pour l'aigrir. Et soudain, enroulée dans l'animal littéraire, je la retrouvais délivrée de toute récrimination, printanière. Son corps était gai. Elle allait sur le boulevard, riant à gorge déployée comme si l'alacrité et l'épanouissement physique avaient toujours été son lot. Son teint, autrefois blême et cireux, remerciait le soleil. Sa chair, arrondie à souhait, semblait avoir retrouvé de la densité, une détente à être caressée avec une attention extrême. Effaré, et tout à fait vexé je l'avoue (bien que je fusse sans jalousie), je les suivis en douce.

Le couple enchanté pénétra dans un café désert. L'un et l'autre avaient les couleurs de la vie, l'odeur du bonheur volé. Je m'y faufilai et me cachai près d'eux, derrière une banquette capitonnée, pour les espionner. Enjôleur, le très faunesque Philippe la pelotait avec juvénilité, comme s'il avait sauvé de son adolescence la faculté d'être fouetté par un désir urgent. Sa proie volubile avait perdu ce ton cinglant, très cravaché, qui la desservait jadis. Comment cet agaçant Sollers s'y prenait-il donc pour *dorloter* leur liaison ? Que lui racontait-il, avec l'animation qui est la sienne, afin d'obtenir de cette ex-amante l'humeur chantante qu'elle m'avait toujours refusée ? *Une histoire de verrou*. Réconfortante, vraiment ? Mieux encore.

Etrangement, cette *histoire de verrou* aux airs de fable est scrupuleusement exacte ; même si Philippe Sollers, comme nombre d'apprivoiseurs de femmes, prend parfois ses aises avec les faits. Je l'ai, plus tard, retrouvée intacte, au mot près, dans l'ouvrage de Casanova et même dans le fiévreux volume que ledit Sollers a consacré à Aventuros, son jumeau en joie (*Casanova l'admirable*, ouvrage souple qui lie les enthousiasmes dans une aisance d'allure souveraine et qui est, surtout, rehaussé par un ton magnifiquement libre : il y canonise Casa !). Ce verrou-là a, je dois le dire, modifié en profondeur mon regard sur les contraintes ridicules qui, il y a peu, bridaient encore mon sort timoré et mon cœur qui ne l'est pas moins. Ce verrou m'a en quelque sorte délivré ! Ma monogamie s'en est trouvée vivifiée, réarmée.

1756. Venise est alors la capitale des orgies bachiques et de la fornication inavouable (nonnes pas totalement novices, polissonnes de haute naissance, baiseurs mitrés, diacres polygames, tout y passe), mais aussi d'un ordre moral qui jette des interdits à tous vents et précipite dans ses geôles nombre de drilles. Pour avoir déjà mis le pied en enfer (en obéissant à un sénateur *amplissime* de Venise qui lui avait un peu trop vite ordonné : *pense à t'amuser !*), Giacomo est arrêté un matin au saut du lit. Son protecteur sybarite n'a pu le sauver. Fidèle à lui-même, aux soins extrêmes qu'il porte à son apparence, Casa se rase, se fait même peigner, poudrer, met « une chemise à dentelle, un galant habit, non pas comme un homme qui sait d'aller en prison, mais comme on va aux noces ou au bal ». Au bord du précipice, l'énergumène songe à plaire. On le boucle aussitôt dans la prison des Plombs, obscure, infestée de rats. Se croyant parfaitement libre, au-dessus de tout préjugé, Casa s'est cru autorisé à partager des libertinages avec cette sorte de puissant qui n'apprécie guère les témoins directs de ses parties fines. Leurs illustrissimes seigneuries les inquisiteurs d'Etat, à discrétion des familles patriciennes de Venise, ont prononcé son arrêt, immédiatement exécutoire. Chaleur atroce des Plombs. Humidité suffocante. Hauteur sous plafond brisant les vertèbres, torturant le corps. Mais Casa s'en accommode car il sait d'instinct qu'il en sortira. Jamais cet optimiste n'a été inférieur à ce qui lui arrive. Il est dans sa nature de retourner le pire, de faire fleurir les chardons. D'orties urticantes il ferait une soupe succulente. Le malheur, il n'y croit pas, même quand il l'accable. Sa bonne étoile ne peut l'abandonner ; du moins le pense-t-il, ce qui est de la dernière sagesse.

Pour s'échapper, l'amoureux de la vie se sert d'abord de l'écriture qu'il fait physiquement jaillir de son corps. Giacomo se laisse pousser un ongle, le taille et en fait une plume qu'il trempe dans une encre végétale constituée de mûres écrasées mélangées à son sperme pour écrire un poème sur l'éclat du ciel, sa seule beauté accessible. La main du Vénitien devient stylo, sa semence encre.

A bout d'exaspération, de transpiration, de piqûres de puces qui poinçonnent sa peau et de fatigue après quinze mois de pourrissement, Giacomo distingue enfin sur le sol d'une courette de promenade un petit objet métallique : un verrou abandonné. Son esprit vif – qui comme celui de Charles ou de Sacha raisonne par principe *hors du cadre* – convertit tout en chance. Il le regarde aussitôt comme un outil qu'il affûtera et rendra tranchant pour creuser son plancher afin de s'enfuir par les toits de la prison des Plombs ! Refusant toute limitation, Casa devient alors le premier homme qui s'évade grâce à un verrou – en prenant évidemment un soin extrême à son apparence vestimentaire au moment même où il court les pires périls. La réclusion amère n'a pas eu raison de sa coquetterie, n'a en rien atténué son impeccable dandysme. L'impudent soigne son costume effarant, carnavalesque, malgré le risque qui pèse sur son sort. Pas question de fuir dans une gondole mal attifé, médiocrement peigné, sans amusement. Entré en prison en habit de noces, il la quitte dans le même appareil. L'Inquisition qui l'a enfermé ne l'a ni dressé ni redressé. Sa tenue folâtre aidera au succès de son évasion acrobatique.

Familier des imprudences, Casa y parvient au prix de risques insensés. A chaque page de son récit (merveilleusement rendu par la verve du Sollers amoureux), on sent la poussée de la vie qu'il chérit. Son verrou lui servira également… à forcer des serrures. Il le transforme alors en clef de fortune ! Et pour comble d'ironie, raffolant du jeu, il se réfugie dans la maison du chef des sbires partis à sa recherche, où l'accueille… sa femme. Puis, filant avec fougue sur le Grand Canal, il prend quelques instants pour s'extasier sur les beautés du jour clair qui s'éveille. Le danger qui le talonne n'amoindrit pas son aptitude à se délecter de l'instant volé, à s'abandonner au pur présent. Giacomo ne néglige jamais de cueillir une minute de félicité. Il soulage enfin son cœur dans un sanglot enfantin, et le rire le prend. Loin des lois il est, loin il restera ! L'ange de la joie quitte alors pour longtemps la Sérénissime République.

Au fond du café parisien presque vide, Sollers conclut son récit en citant les mots mêmes de Giacomo : « Mais ma vanité ne vient pas de ce que j'ai réussi, car le bonheur s'en est beaucoup mêlé ; elle procède de ce que j'ai jugé la chose faisable, et que j'ai eu le courage de l'entreprendre. »

D'une main magicienne, Sollers offre alors à la jeune femme un verrou en or monté sur une chaînette, comme on donne un talisman. Les yeux de la belle se dilatent, ont l'air de saisir qu'il lui faut se libérer et... rieuse, coquine, elle se coule gracieusement sous la table avec une évidente intention. Je sors, effaré que Casanova puisse encore agir sur une fille plus de deux siècles après sa mise en terre et que son esprit gagne encore de telles victoires.

On ignore ce que Giacomo fit ensuite de son propre verrou ; mais moi je ne cesse d'en offrir à ceux que j'aime, pour qu'ils songent eux aussi à s'évader de leurs opinions, des ennuis auxquels ils accordent trop de crédit, des idéologies carcérales qui les assombrissent, des déceptions qui les encalminent ou les bloquent. Dizzy en possède désormais une petite vingtaine, achetés aux quatre coins du globe. Dès que je m'échappe de France, j'en cherche un nouveau pour mon éditeur casanoviste. En retour, Dizzy m'en a offert sept exemplaires, tous accompagnés d'un petit mot qui, à chaque fois, rallume ma fureur à oser.

Sur le premier, il a noté de son écriture dansante : « Songe à prendre congé de ton ADN… »

Sur le deuxième (d'origine chilienne) : « Fuis la compagnie des individus dépourvus du don d'ubiquité… »

Sur le troisième (acheté par Dizzy en Terre de Feu) : « Sauve-toi des femmes qui veulent que tu restes… même si la tienne te mérite. »

Sur le quatrième : « Pense à quitter ton optimisme… à t'évader de ce système. L'optimisme est une anémie. »

Sur le cinquième : « Sauve-toi des lieux vers lesquels tous convergent, même de ma chère Venise – désormais moins fréquentable que Limoges… »

Sur le sixième (déniché à Venise même !) : « Echappe-toi ! Même du désir de fuite – qui, en général, est l'artifice par lequel on demande à ceux qui restent de vous retenir… »

Sur le septième billet, joint à une targette de fabrication française, Dizzy a écrit : « Echappe-toi des rêves de Charles. Ils te piégeront ! Inaugure dans le réel tes propres mythes. » Là, nous avons un différend. Je reste verrouillé...

Mais vous, offrez-vous cent verrous ! Ouvrez les loquets les plus grinçants, les plus anciens, les plus cachés. Nous serons vieux plus tard.

Je n'en dirai pas trop

La tentation est grande de dévider ici mille anecdotes truculentes où Giacomo fête la liberté, la sienne et celle des femmes qui eurent la chance d'être affranchies par cet homme ; mais ce serait atténuer l'exceptionnel exercice de manipulation que constitue son autobiographie dont la composition très savante, par petites touches, vise à créer une impression générale, un flou charmant qui persuade. De quoi ? D'une pensée cohérente et stupéfiante que ce séducteur a l'astuce de dissimuler dans les replis d'un texte folâtre qui a tous les charmes du fortuit et de la nonchalance appuyée. Maître de la suggestion, Giacomo n'inflige pas explicitement sa conception du monde, ce qui éveillerait en nous des résistances et aviverait nos réticences. L'ensemble de l'ouvrage, par son agencement plein d'adresse, a plus de signification que ses fragments. Ce livre est l'ultime tour que ce professeur d'insouciance nous joue. Dresser un catalogue de ses actes fantaisistes serait donc un appauvrissement et passerait à côté de sa méthode d'illusionniste.

Ecrire est pour Giacomo un art de mystifier et d'influencer au fil des pages... afin de subvertir ! Et de dissoudre. Quoi ? L'esprit de sérieux qui entrave notre liberté au lieu de lui donner des jambes.

Peu d'auteurs se sont montrés aussi astucieux pour neutraliser notre méfiance, défaire un à un les nœuds de nos tristes convictions et nous contraindre à penser à notre insu. Rarement se rencontrèrent en un seul écrivain pareilles habiletés.

Comme tous les non-séducteurs, son contemporain J.-J. Rousseau assenait ses opinions sans recourir à de grandes ruses ; Giacomo, lui, commence par nous étonner. Puis, passant de l'étourdissement au sourire, ce magicien-né nous fait oublier nos préventions. Insensiblement, on s'amourache de lui, de sa vivacité de ton, de son insouciance qui ne se dément jamais et l'on s'intoxique de joie. Les rousseauistes à nuque raide ont disparu depuis longtemps de la circulation ; les casanovistes pulluleront longtemps encore dans Paris ! L'ambition du premier est trop visible pour ne pas être contrée ; celle du second se faufile en nous par le rire, en plaisant, en utilisant mille leurres vivants. Stratège dans sa narration, il fait capoter nos défenses !

Jamais ce maître de l'induction ne se laisse aller à conclure à notre place ou à énoncer ce que nous pourrions contester. N'affirmant pas, il ne peut être infirmé. Rousseau peut aller se rhabiller. Son raisonnement invisible, toujours masqué, conduit avec art le nôtre afin que l'on épouse, malgré soi, ses convictions heureuses.

L'appareillage de son récit compte plus que ses parties.

Leçon numéro 2 : l'art d'habiter le présent

Invité à dîner chez vous, Giacomo aurait rendu vivants jusqu'aux murs de votre domicile, jusqu'à votre télévision. Pourquoi ? Aucune métaphysique n'encombre ce garçon, nulle idée obsédante ne le creuse. Il dépense son esprit, explore toutes les latitudes de l'insolence et riposte dru sans autre but que de mener une existence de voluptés. Mélange d'idéal et de rapines, de grappillements. Par toutes ses molécules, Casa appartient au pur présent quand, moi, je reste tiré par la manche de mon passé et trop occupé d'avenir. Surtout par celui de cette France qui, du train où elle se désespère, me tourmente. La confiance de Giacomo en son étoile est telle qu'il se sait protégé par une Providence laïque, et donc apte à tous les super-bancos. S'offrir tout entier à l'instant qui se présente, en saisir avec grâce les opportunités, annuler tout préparatif afin de trinquer avec l'inattendu est dans sa nature profonde. Peu d'êtres prennent à ce degré le contre-pied de nos mœurs contemporaines gouvernées par l'anticipation des risques, la nouvelle religion des pleutres qui réclament toujours davantage de sécurité.

Souvent, après avoir essuyé un journal télévisé, je me lave des nouvelles en relisant la prose assainissante de Giacomo. Du jus d'audace. Le paragraphe inaugural du récit de sa fuite des Plombs me rince à chaque fois :

> Après avoir fini mes études, avoir quitté à Rome l'état d'ecclésiastique, avoir embrassé celui de militaire, l'avoir quitté à Corfou, entrepris le métier d'avocat, l'avoir quitté par aversion, et après avoir vu toute mon Italie, les deux Grèces, l'Asie Mineure, Constantinople et les plus belles villes de France et d'Allemagne, je suis retourné à ma patrie l'année 1753 assez instruit, plein de moi-même, étourdi, aimant le plaisir, ennemi de prévoir, parlant de tout à tort et à travers, gai, hardi, vigoureux et me moquant, au milieu d'une bande d'amis de ma clique dont j'étais le gonfalonier [leader] de tout ce qui me paraissait sottise soit sacrée, soit profane, appelant préjugé tout ce qui n'était pas connu aux sauvages, jouant gros jeu, trouvant égal le temps de la nuit à celui du jour, et ne respectant que l'honneur

dont j'avais toujours le nom sur les lèvres plus par hauteur que par soumission, prêt, pour garantir le mien de toute tache, à violer toutes les lois qui auraient pu m'empêcher une satisfaction, un dédommagement d'aller dîner, une vengeance de tout ce qui avait l'apparence d'injure ou de violence. Je ne manquais [de respect] à personne, je ne troublais pas la paix des sociétés, je ne me mêlais ni d'affaires d'Etat ni des différends des particuliers, et voilà tout ce que j'avais de bon et ce que je croyais suffisant pour être à l'abri de tout malheur qui, en me surprenant, aurait pu me priver d'une liberté que je supposais inviolable. Lorsque dans certains moments je jetais un coup d'œil sur ma conduite, je ne manquais pas de la trouver exempte de reproche, puisqu'enfin mon libertinage ne pouvait que tout au plus me rendre coupable vis-à-vis de moi-même, et aucun remords ne troublait ma conscience. Je croyais de n'avoir autre devoir que celui d'être honnête homme, et je m'en piquais, et n'ayant besoin pour vivre ni d'emploi, ni d'office qui aurait pu gêner pour quelques heures ma liberté, ou m'obliger à en imposer au public avec une conduite régulière et édifiante, je me félicitais et j'allais mon train.

Giacomo appartient à l'instant, à la liberté pure.

Un jour que je me trouvais en Italie à Pordenone, non loin des brumes de sa Venise, le très désinvolte frère de mon éditrice transalpine m'enleva en voiture pour me faire visiter un musée de belle tenue. Je monte aussitôt à l'avant, aux côtés de son chauffeur aux airs de squale tandis que l'énergumène surcultivé – très bel homme, célèbre vociférateur télévisuel en Italie – passe à l'arrière en compagnie de deux femmes, divinement silhouettées, à qui il distribue force baisers et autant de caresses appuyées. Nulle jalousie ne semble embarrasser ces créatures. A chacun ses mœurs, sa hâte à gober la vie. Croyant que l'établissement se trouvait à Pordenone, je m'étonne que sa très sportive Lancia (voiture de course ?) s'engouffre sur l'autoroute. On me répond que le voyage ne sera ni long ni monotone. Dépassant des véhicules qui me paraissent tous exceptionnellement lambins sur la voie de droite, je me penche alors vers l'indicateur de vitesse de la Lancia et m'aperçois que nous roulons bien à… deux cent quatre-vingts kilomètres à l'heure – ce qui n'a pas l'air d'inquiéter l'embrasseur de la banquette arrière. Pour ne pas ralentir la cadence, il pisse même allègrement dans une bouteille d'eau minérale à moitié vide sous les applaudissements de ces dames peu farouches tandis que les autres voitures semblent à l'arrêt à cent trente kilomètres à l'heure. Cet esthète hâtif a décidé d'annuler les distances terrestres, de nier les kilomètres en brûlant les limitations, d'être plus fort que le temps. Il lui faut violer toutes les règles humaines et physiques et, comme un romancier, s'inventer ses propres lois, s'offrir l'impunité de l'artiste, l'extraterritorialité de l'ambassadeur d'un monde imaginaire. L'œil en coin, son chauffeur – ou plutôt son pilote – m'explique alors dans un sabir italo-anglais qu'il dispose d'un permis très spécial portant le nom de leur illustre famille milanaise. Nous sommes bien au pays où le droit est souvent un peu courbe.

Trois minutes après, nous accumulons déjà deux voitures de police à nos trousses, laissées presque sur place par notre élan vrombissant. Quel véhicule pourrait rivaliser avec la mécanique excessive de cette automobile ? Quelques dizaines de minutes plus tard, après être sorti de l'autoroute par une bretelle remontée à contresens (au point où on en est...), à deux cents kilomètres environ de notre point de départ, nous surgissons dans une bourgade éteinte, quasi sommeillante. Le bolide se gare devant un *palazzo* fermé, fenêtres éteintes. Le frère de mon éditrice pousse des glapissements énergiques et gais dans son téléphone, expédie des rafales de SMS, feint la crise de nerfs, éclate de rire, s'étouffe, pisse dru dans une bouteille de Barbera d'Alba millésimé, est couvert de baisers par les deux créatures. Le palais est immédiatement rouvert. Accourent de vieux gardiens munis de bougies qui remettent leur veste de service par-dessus leur pyjama, bientôt rejoints par une escouade de femmes ravissantes, très formées et volubiles, escortées par des valets de chambre munis de champagne français. Les seaux se remplissent de glace. Le musée s'offre à nous, nuitamment et à la bougie, pour une visite privée ponctuée d'embrassades (mon hôte est décidément très vorace) qui semblent données avec allégresse, au milieu de fous rires tumultueux. D'autres femmes aux corsages abondants déboulent, lui arrachent sa cravate, palpent les pectoraux de ce vif parleur, se promettent dans la pénombre, se dérobent, se cambrent sous les mains baladeuses. La visite se poursuit. Entre deux caressements, à la lueur des candélabres, il assène des vérités insolentes et drôles sur les peintres du Quattrocento que nous découvrons, interpelle savamment, insulte qui traîne, flatte, défie les ignares de sa suite, entre en colères. On nous sert du champagne, puis des bulles italiennes. Ayant alors totalement décollé de la vie réelle, en quasi-apesanteur dans ce monde décadré où des femmes empressées s'offrent sans façons, j'ai alors la certitude d'avoir en face de moi non Casanova lui-même mais un excellent épigone, identique de fibre. Même talent de gaieté, même sentiment qu'il faut s'asseoir à cette table de jeu qu'est le monde pour y jouer sans hésitation, même rage à travailler à l'allègement de la vie, même entrain à être désiré par l'autre sexe, même capacité à désorganiser le réel en déverrouillant les serrures du convenable, du possible et de la simple décence.

Au sortir de cette visite menée au pas de charge, je prie mon nouveau Giacomo de me reconduire à mon hôtel – situé à deux cents kilomètres... – mais ce dernier s'écrie : « Impossible, j'ai faim. *Impossibile !* Il faut que je mange une oie.

— Une oie ?

— *Un'oca ! Un'oca !* » hurle-t-il dans la cité qui commence à roupiller.

Je lui fais observer que les restaurants sont fermés et que nulle oie cendrée ne me paraît en vue.

Alors, casanovesque, résolu à brusquer le réel, il fait rouvrir un restaurant, convoque au pied levé le personnel qui, annonce-t-il, sera payé triple. Il lui semble intolérable que la nuit existe, que la joie puisse connaître des heures de relâche. Une flambée est improvisée pour rôtir une oie (où a-t-on déniché ce volatile en pleine nuit ?). Son cheptel de femmes s'engouffre dans l'établissement. Mais comme la salle est vaste, mon Giacomo du XXIe siècle sort des liasses de billets et hèle dans la rue des passants qu'il rétribue aussitôt pour qu'ils rejoignent notre équipée. Manger seul le déprime. La thésaurisation n'est pas son fort, le toupet est sa méthode. La vie n'a pas le droit d'être prévisible. Rien ne l'arrête ; et cela m'éblouit, m'exalte.

Il vit étourdiment comme si demain n'existait pas. Sage précaution. Le *ristorante* est bientôt rempli de… figurants payés. Giacomo ôte ses lunettes, se cambre, cite l'Arioste avec grandiloquence, déclame du Goldoni, fait des claquettes devant son *oca* qui grille, raconte mille farces aux femmes qui continuent d'affluer de la ville et des environs, convoquées par SMS et par la rumeur qui enfle dans la cité de Vénétie. On met d'autres oies à rôtir. La musique retentit, convoque la farce. On danse sur les tables, on siffle des litres de chianti, on sort des cartes, on défie l'inertie de la vie, le hasard. Homme d'impromptu, il déguise ses figurants d'un soir, intervertit les costumes au pied levé, change les hommes en femmes et inversement, carnavalise le souper qu'il met en scène en s'esclaffant.

Je proteste, exige d'être reconduit promptement dans mon hôtel à deux cents kilomètres de là (où se trouve mon ordinateur qui contient un roman en cours) mais mon hôte vif-argent s'insurge. La fête habite son cœur. Nous sommes désormais supposés aller danser à Trieste où nous attendent d'autres femmes ! La nouveauté est la tyrannie de son caractère. Il jure qu'il me fera reconduire au petit matin à l'aéroport de Venise à trois cents à l'heure où nous rejoindront ses assistants chargés de récupérer mon ordinateur dans mon hôtel. L'existence doit être un film en accéléré, une comédie fonceuse. Je vocifère, trépigne, crache mon pilon d'oie et appelle mon éditrice en pleine nuit qui, du fond de son lit, me conseille vivement de baisser d'un ton. La dernière fois que son frère ingérable a embarqué l'un de ses auteurs français récalcitrants, il l'a abandonné sans passeport ni argent au bord de l'autoroute, au nord de Naples. Ce n'est que quatre heures plus tard que je serai reconduit à mon hôtel par l'énergumène qui, debout sur sa Lancia, hurlait encore sur la *piazzetta* endormie : « Giardino, tu es un menteur ! Un menteur, Jardin ! Tu ne vis pas comme dans tes livres ! Tu as peur d'exister tous azimuts, Giardino ! »

Cette scène – scrupuleusement exacte malgré les apparences, mon éditrice milanaise ne le sait que trop – aurait pu figurer dans les Mémoires de Casanova, les téléphones et les voitures en moins. Certes, manquait à ce morceau de dinguerie un peu de friponnerie et d'escroquerie malicieuse ; mais le canevas, ou plutôt l'absence de canevas, me fit ressentir l'espace d'une nuit ce que fut sans doute l'existence turbulente de Giacomo. Une expérience de la liberté radicale. Soudain, le poids du tragique s'évanouit. L'argent, profus, ne limite plus rien. Casa adore follement les femmes le vénérant. Le dieu de l'insouciance préside aux instants qui s'écoulent, sans la moindre réserve, sans esprit de précaution. L'abandon à la volupté est soudain sans retenue, en pure perte. Tout lui appartient !

D'aucuns déclareront ce trublion moderne infect car il ne cède jamais sur son désir, obscène, mégalo impuni, sans doute berlusconien (dans une version raffinée, savante, brillante), puéril assurément, et ils auront raison ; mais je ne peux m'empêcher d'aimer que flambe la liberté, que se renversent les murs du trop ordinaire. Que la manie d'envoyer la liberté à l'échafaud cesse ! Je me méfie des âmes supposément célestes, des chaisières de la vie politique qui entonnent sur nos ondes des cantiques purificateurs. Churchill, l'homme qui sauva le monde civilisé, était un ivrogne confit dans le malt. Clemenceau un acariâtre imbuvable. Malraux un camé. Rimbaud un marchand d'armes. L'immense René Lévesque un chapardeur de femmes. Proust un concentré de mépris social. Le Roi-Soleil un érotomane qui en aurait remontré aux grands éjaculateurs de notre siècle. Zola un bigame. Picasso un polygame. Woody Allen l'épouseur de sa fille adoptive. Charles un atrabilaire, époux d'une bigote qui voyait dans toute minijupe l'œuvre de Satan. Mandela un dingo qui, les fers aux pieds, se fit un devoir de rendre son humanité à son geôlier afrikaner qui le tenait pour un singe. Gandhi un amateur de jeunes filles. Lyautey de très jeunes garçons. Blaise Pascal un ayatollah digne de nos iranosaures contemporains. La Fontaine un plagiaire méthodique.

Mitterrand un franciscard qui fit sans sourciller « don de sa personne au maréchal Pétain », selon le serment stupéfiant qu'il signa en 1942. Mozart un frénétique baisouilleur d'aspect grotesque. Le monde fut créé par des êtres qui aujourd'hui ne passeraient pas à la toise de nos médias normalisateurs.

Pour ma part, j'aime les « poètes de leur vie », au sens où Zweig l'entend. Infernaux, risque-tout, dupeurs, traversés d'extravagances, d'instincts parfois glaçants, eux ont au moins essayé d'être hommes avant d'être mis en terre un triste jour.

Leçon numéro 3 : l'art d'être un corps

1991. Une journaliste suisse me subjugue par son éclat. Elle m'interviewe au domicile vaudois des Jardin et, sans façon, me viole. Somptueusement, en se passant des ménagements dont les femmes sont supposées friandes. Avec un art fou et cette forme d'enthousiasme physique que j'ignorais encore. Jeune auteur prétendument averti des choses de l'amour, je découvre soudain que la femme d'un autre (plus âgée que moi) peut fêter mon corps et s'épanouir de me désirer. Jouir devient pour la première fois dans ma chair synonyme d'accéder à la vie.

Bouleversé, j'en parle aussitôt à ma grand-mère qui eut ce mot : « Ah, quelle bonne nouvelle ! »

Mise en appétit, elle me parla ardemment de sa liaison avec Paul Morand qui, malgré ses airs cérébraux et son faciès éduqué, avait lui aussi la capacité de n'être qu'un corps. Son toucher d'exception, superlativement efficace, m'expliqua-t-elle, donnait aux fessiers qu'il flattait comme aux fruits qu'il palpait une valeur inouïe. Sur ce point, mon aïeule était formelle. Ma découverte de cet aspect de la vie la comblait dans ses attentes : elle tenait à ce que sa descendance soit acclimatée à certains vertiges. Exaltée, l'Arquebuse me lut alors quelques pages pimentées de la vie de Casanova, dans une version encore expurgée de ses odeurs, de ses moiteurs (il fallut attendre 1993 pour que la fraîcheur originelle de Casa nous soit accessible et échappe aux censeurs de tout poil), mais qui, dans mon souvenir, possédait malgré tout un ahurissant parfum de scandale : il y était question, disons-le clairement, d'inceste (de quelle version disposait Mme Jardin mère ?).

Ce passage dément de la vie de Giacomo, je l'ai retrouvé dans le tumulte de ses pages. Il y évoque nettement ses relations déclarées exquises (pour lui) avec une Léonilde qu'il suppose (à raison ?) être sa fille. Sa mère Lucrezia laisse ensemble sa fille et le très gourmand

Casa dans une grotte en les adjurant de ne surtout pas *commettre le crime.* Ecoutons Casa :

> Ces paroles, suivies de son départ, firent un effet tout contraire au précepte qu'elle nous donnait. Déterminés à ne pas consommer le prétendu crime, nous le touchâmes de si près qu'un mouvement presque involontaire nous força à le consommer si complètement que nous n'aurions pu faire davantage si nous avions agi en conséquence d'un dessein prémédité dans toute la liberté de la raison. Nous restâmes immobiles en nous regardant sans changer de posture, tous les deux sérieux et muets, en proie à la réflexion, étonnés, comme nous nous le dîmes après, de ne nous sentir ni coupables, ni victimes d'un remords. Nous nous arrangeâmes, et ma fille, assise près de moi, m'appela son mari en même temps que je l'ai appelée ma femme. Nous confirmâmes par de doux baisers ce que nous venions de faire, et un ange même qui serait alors venu nous dire que nous avions monstrueusement outragé la nature nous aurait fait rire.

Plus loin, Casa ajoute :

> Je n'ai jamais pu concevoir comment un père pouvait aimer tendrement sa charmante fille sans avoir au moins une fois couché avec elle. Cette impuissance de conception m'a toujours convaincu et me convainc encore avec plus de

force aujourd'hui que mon esprit et ma matière ne font qu'une seule substance.

Ces pages – qui laissèrent ma grand-mère dans une méditation extatique, sans jugement – me révulsèrent aussitôt et me tinrent longtemps à l'écart de la prose dangereuse de Giacomo. Ce volume, l'Arquebuse téméraire me l'offrit religieusement et je l'ai volontairement abandonné dans le train qui me ramenait vers Paris, chiffonné. Mais je compris plus tard, sans me départir de mon effroi au sujet de cet éloge du pire (je n'ai jamais pu rejoindre à ce sujet les exaltations littéraro-libertaires d'un Philippe Sollers qui y voit sans doute une manière d'atteindre la société dans ses fondements), que ce garçon trop heureux, exagérément sous l'empire de ses coups de sens, fut sans doute victime de sa jubilation d'être avant tout un corps. La quête de joie sensuelle rend parfois maboul et jette dans certaines ténèbres. Répétons-le : le culte de la surprise ensorcelante, du hasard enivrant, peut décerveler. La contre-passion du bonheur physique – car, comme le dit avec ardeur Sollers, il faut bien reconnaître que le sexe est dans notre littérature occidentale une passion gémissante alors que Giacomo exalte la satisfaction – soulève des barrières désastreuses.

Dire « mon esprit et ma matière ne font qu'une seule substance » est une déclaration qui ouvre de sublimes horizons ; mais cela peut conduire, on le voit, au crime pur et net, à la sortie de route radicale.

Mais trouvez-moi un seul aventurier de gros calibre qui, propulsé par sa nature, n'ait pas dérapé un jour ? Leur effarant logiciel se détraque toujours. L'exemplarité est une qualité de collégien en quête de bons points, l'exigence de cohérence une fable pour écolier. Dans le vrai monde, l'humaniste Mitterrand trinque avec Bousquet. Le folâtre Sacha perd les pédales avec le sinistre Pétain. En 1961, le noble Charles lui-même couvre le massacre au métro Charonne d'un mot glaçant : « Regrettable mais secondaire. » Mais enfin, que veut-on ? La pureté d'âmes sans relief, faire de la vie publique un perpétuel concours de morale ? La vacuité au pouvoir ? Des chaisières à l'Académie française et des saints laïcs logés dans tous les ministères ? L'hypernormalité aux commandes des maisons d'édition et des franciscains à la tête des maisons de production de cinéma ? Les Depardieu, inaptes à la frugalité et à la tempérance, resteront toujours des débordeurs, les Byron du lait qui s'échappe de la casserole, les dingos de génie du combustible pour les bûchers de la morale. Même si Casa présente évidemment une faille sévère, le culte effréné de la normalité m'effraie. Cette sorte de goinfre de vie porte en soi l'ombre de sa lumière, la crasse de ses qualités, l'indécence de sa rage d'exister. Giacomo est trop convaincu que la jouissance est un mode de connaissance du réel pour se dérober à certains chemins très glissants. D'autant plus qu'il était encore, lors de l'épisode nauséeux de la grotte, dans ce qu'il appelle sa *période prodigieuse.*

Mais il demeure chez cet hypervoluptueux – qui me fout authentiquement la trouille – une dimension *purement physique* qui me sidère et me donne envie de m'abandonner sans retenue à la flamme de sa manière d'être ; peut-être parce que je ne sais pas *être un corps* sans l'aide d'une femme. Seul, à l'écart des caresses et du désir de celle que j'aime, ma substance profonde m'échappe. Je ne me sens pas vivre corporellement. Giacomo, lui, ne cessait jamais d'exister physiquement, en fêtant chaque microseconde. Rien à voir avec un stakhanoviste du coït qui aurait glissé sur la vie sans y participer vraiment. Aucune absence de soi chez ce spécialiste de l'ici et maintenant.

Le délicat Stefan Zweig a, me semble-t-il, tort de cantonner Giacomo parmi les jouisseurs « improductifs intérieurement », « sans substance d'âme », de lui reprocher je ne sais quelle inaptitude à penser avec élévation. Cette fine plume s'égare (craint-il de l'aimer sans réserve ?). Le corps célébré de Casanova, aimé, écouté, est un temple, une victoire de l'allégresse sur la souffrance qui enlaidit le monde.

Heureusement, l'Autrichien (sans doute mal baisé par une femme sans appétit) se rattrape quand il finit par concéder, enfin, après avoir finassé pendant des pages et des pages, comme s'il se livrait en lui une lutte contre ses désirs, comme s'il redoutait les effets de son enthousiasme :

> Dans nos moments d'impatiente satisfaction, la folle existence de cet aventurier, sa façon de saisir, d'étreindre et de jouir à pleins nerfs, son épicurisme accaparant sauvagement toute la vie nous semblent plus sages et plus réels que notre flottement éphémère dans le royaume de l'esprit ; sa philosophie nous paraît plus vivante que toutes les doctrines maussades de Schopenhauer et que le dogmatisme glacé du père Kant. Car combien semble en de telles heures, comparée avec la sienne, notre existence contrainte et qui n'est affermie que grâce au renoncement ! Et nous reconnaissons douloureusement de quel prix nous avons payé notre tenue spirituelle et nos principes moraux, à savoir la perte de toute spontanéité.

Vivons, vivons cher monsieur Zweig et vous qui me lisez ! Osons exister à plein régime, sans maussaderie, en courant le risque de faire offense aux prudents, aux collectionneurs de tableaux d'honneur ! Ne craignons plus de céder à nos fièvres les plus urgentes, de défier les moralisants gentillets, dévitalisés. Quoi de plus grand et de plus nécessaire qu'être une joie que rien ne borne et qui embellit la vie ? Et comment ne pas donner totalement son cœur à un homme qui consacra son énergie à accroître la liberté des femmes ? En un siècle qui se moquait bien de leurs extases !

Leçon numéro 4 : le génie de se refaire

Le jour où j'ai eu le plaisir de fabriquer un film en qualité de metteur en scène, on me fit bien sentir sans mollesse qu'en tant qu'homme de plume et non de caméra je n'étais pas le bienvenu dans le monde du cinéma parisien. Allez jouir ailleurs, exulter sur d'autres plates-bandes ! Romancier, on m'en voulut ensuite acidement de me mêler de politique avec jubilation par le biais de mes associations éducatives qui, toutes, m'ont procuré l'extase de gouverner les faits, de corriger la triste réalité, à défaut de commander un Etat paralytique. Etais-je même autorisé à formuler un regard sur l'échec scolaire puisque je n'étais ni linguiste breveté ni universitaire estampillé ? Autant dire sans cerveau. Homme d'imagination, on me fit salement sentir que je n'avais pas à prétendre quoi que ce soit lorsque j'écrivis avec chagrin sur les responsabilités politiques de mon grand-père à Vichy. Il fallait être historien pour gagner le droit de s'indigner, de souffrir de porter le nom du directeur de cabinet de Pierre Laval aux pires dates et de lui devoir un quart de mes gènes. Faiseur de romans réputés légers (quel honneur, n'en jetez plus !), on me fit plus d'une fois bien voir que je n'étais pas assez journaliste pour ciseler un article convenable, digne d'une carte de presse. Avais-je seulement montré patte blanche auprès des censeurs ? Telle est la France obtuse, envieuse et rétractée derrière ses statuts dont mes contemporains subissent les a priori racornis. A Paris, il ne fera jamais bon s'aventurer hors de son pré carré ! Et encore, je me suis gardé de devenir producteur de cinéma culotté, éditeur de poésie leste, empereur à Bruxelles, chausseur de luxe à Milan, éducateur de rue avec une vigilance alarmée, professeur exalté de français, scénariste de BD (pour honorer Goscinny), comédien spécialisé dans les pièces de Sacha, vierge pure dans un monastère (oui, cela me tente), gigolo sans grand déplaisir, rabbin enfiévré de Talmud, pianiste pratiquant, délateur probe et pervers chez Mediapart (doit être jouissif) ou documentariste engagé. Quant à ce pauvre Cocteau, emmêlé dans ses talents profus, victime du dédain de ceux qui vomissent les touche-à-tout (fussent-ils hors série), il aura toujours le défaut aux yeux de Paris de n'être pas resté poète, ajusteur de phrases. De quel droit s'est-il permis de filmer avec des pinceaux, d'écrire à la gouache et de dessiner en usant de mots ?

L'omnivore Giacomo, lui, fut tout, partout et en même temps, sans la moindre vergogne. A table, l'animal ne dédaignait rien ; et avec quelle appétence ! Ce vorace ingurgitait de la vulve de raie (véridique), des foies d'anguilles crus, des viscères d'autruche, du prépuce de singe grillé (exquis, paraît-il), du gibier de marais faisandé, du chocolat en vrac, du champagne en guise d'eau, de l'oreille de lamantin marinée, du chat équarri à la persane, du gingembre en poudre, des huîtres par trentaines, du cervelas de hibou (succulent), des roustons de cheval arabe en rillettes, de la bosse de chameau caramélisée, du fromage de femmes des Balkans, du sperme de cachalot frit, du confit de taupe des Pouilles, des beignets d'edelweiss du val d'Aoste et j'en passe (j'en rajoute un peu mais à peine). Casa voulait tout goûter de la vie – comme Sacha d'ailleurs qui avait, on le sait peu, la fourchette aventureuse.

Alors que moi je traîne mon caddie dans les rayons surgelés de mon époque. Ai-je jamais ouvert la bouche sur une queue d'âne farcie ou sur une grenouille sarde lardée d'éclats de gingembre ? La fringale de Giacomo était universelle car il raffolait des horizons nouveaux – à la manière d'un Dizzy qui, pour rien au monde, ne donnerait sa part d'oiseau de paradis (importé à grands frais du Paraguay) ou de pihi (piaf extraordinaire qui n'a qu'une aile, condamné à voler en couple) et dont les sauces phénoménales passent l'imagination. Il y incorpore des épices issues de suintements féminins (la transpiration des femmes l'exalte, sucer leur sueur le désaltère) qu'il hume en respirant des flacons d'air encapsulé lors de moments parfaits. Sa curieuse « cave à air » ne comporte d'ailleurs pas moins de mille petites bouteilles où dorment l'oxygène et l'azote d'instants paradisiaques.

Tous, nous stagnons plus ou moins dans les mêmes marigots et croupissons au sein de professions stables (Charles songea-t-il une seule fois à jouer une comédie de Sacha sur les planches d'un théâtre à l'italienne ?), alors que la vie tempétueuse de Giacomo est un perpétuel voyage qui nourrit ses métamorphoses. Quelle amplitude de vie ! Quel enivrement à être pluriel ! Dès qu'un malotru ou un cocu (qui le méritait hautement ; on le mérite toujours) est sur le point de le faire emprisonner pour dettes, escroquerie, mal-pensance caractérisée ou coucheries déréglées, il décampe et se réinvente avec exagération. Qu'on en juge sur pièces. Notre philosophe suractif parle le grec, charme en français, déblatère en hébreu, pérore en espagnol et fait rire en italien. Seul l'allemand, comme il le dit, « ne veut pas lui passer entre les dents ». Pourtant, c'est dans cette langue froide à son oreille qu'il sera enterré en Bohême. Sur la façade de l'église Santa Barbara de Dux, on peut d'ailleurs encore lire une plaque :

JAKOB CASANOVA
VENEDIG, 1725
DUX, 1798

Jakob pour Giacomo, Venedig pour la Sérénissime Venise – celle qu'enchanta Vivaldi, le bruyant fêtard qui fit souffler sur l'Europe l'air d'une certaine liberté qui ne se décantera jamais. De son vivant, on croisait souvent notre Jakob ambulant dans ce décor masqué. A Venise, il mit au point un procédé extravagant destiné à teindre la soie. Mais on le trouve aussi dans l'entourage étincelant de Catherine II, à qui il suggère de caler le calendrier russe sur le calendrier grégorien et d'introduire en Russie la très lucrative culture du mûrier. Puis notre européiste surmené s'infiltre à Paris, sa future patrie (à mes yeux), où il invente, grâce au soutien du cardinal de Bernis, une loterie royale destinée à renflouer les finances de la monarchie impécunieuse. Sans cesse il galope, lutine, épate, rapine, se gaspille, exécute des tours de magie, jouit dans une dame qu'il épanouit et s'en revient. Médecin à Bologne, spécialiste des minerais en Courlande, auteur d'un étonnant traité sur la duplication de l'hexaèdre et du cube, il sait aussi être un courtisan à l'obséquiosité méthodique. Il cède habilement à Louis XV, le roi sans émotion, une vierge prénommée Morphyse, avant de devenir espion peu regardant à son service. Comme le dit l'aimable Zweig (à qui je pardonne tout), « Casanova ne pense jamais à faire quelque chose à fond ; tout ce qui est sérieux répugne à sa nature de joueur et toute activité sèchement régulière à son ivresse de vivre. Il ne veut rien être, il lui suffit de tout paraître : l'apparence trompe en effet les hommes et tromper reste pour lui le plus réjouissant de tous les actes ». Avec les acteurs il devient provisoirement entrepreneur de théâtre ou auteur dramatique, le temps de se délecter. Avec Voltaire, il jacasse d'Homère et ricane de Goldoni, récite l'Arioste qu'il connaît par cœur et dont il goûte l'ironie moderne. Son art irrésistible et pirouettant de la conversation éblouit. Un soir à Prague, à la villa Bertamka, il raconte vivement à Mozart, qu'il taquine, son évasion des Plombs de Venise sur un ton bravache, n'hésitant pas à pimenter la narration de quelque invention inédite. Un pari est pris : il aboutit à la séquestration du musicien dans sa chambre. On ne le lâchera pas avant qu'il n'ait noté incontinent l'ouverture de son opéra, déjà composée, mais que ce fêtard imbibé rechigne à transcrire.

Les villes défilent au rythme de ses rencontres avec l'imprévu, de ses péchés régénérants : Vienne, re-Prague, Saint-Pétersbourg en liesse, Berlin à ses pieds, Londres où on le voit dissolu (et humilié par une gourdasse), Naples où il festoie, Constantinople, Cologne, Amsterdam, Stuttgart, Munich, Zurich, Genève, Berne, Bâle, à nouveau Vienne, Paris, Madrid où il risque les galères pour avoir fâché un mari sans humour, après avoir disserté sur la colonisation de la Sierra Morena. Quand ses interlocuteurs le réclament, il se dit pieux et même sous l'influence des jésuites. D'autres fois, il fait observer d'un air pénétrant que la communion des chrétiens transforme à coup sûr le Créateur en matière fécale. Une autre fois, il soigne sa vérole au mercure et ses déboires avec un zeste d'ironie. Toujours il se multiplie et exagère, fréquente des camarades de gueuserie, des mathématiciens en quête de contradicteurs. En fonds, le voilà grand gentilhomme ou haut prélat distribuant les ducats ou les florins à poignées – « L'épargne ne fut jamais mon affaire », écrit-il. Fauché, il réintègre une entière simplicité de mœurs, se mue vite en vilain, refile des billets de banque contrefaits, plume aux cartes le premier venu avec la certitude qu'il ne fait que capter des sommes destinées à être absurdement dépensées. Pour se venger, Giacomo coupe même le bras d'un mort et place la nuit le membre supérieur glacial entre ceux du dormeur qui, réveillé par cet objet froid et mou, croit mourir de trouille. Un paysan traque-t-il un trésor enfoui sur ses terres ? Abracadabra ! Par un tour de magie, il s'applique à le faire surgir pour contenter l'homme qui n'a qu'un mérite : il est le père d'une jolie fille dénommée Javotte... à qui il fera des souvenirs. Partout, de la Sublime Porte à l'Espagne, en passant par la Bohême où des belles lui offrent leur croupe, il se divertit, se dépense plus qu'on ne peut, enchaîne les mécomptes, les triomphes, scrute le vif besoin des hommes d'être trompé (toujours il préférera le rôle de dupeur à celui de dupé), ensorcelle les pucelles, berne les vaniteux, se fait libérer de prison sur intervention, soulage les mesquins, escroque les avares et se rit des naïfs – il parvient même à charlataniser la marquise d'Urfé en lui promettant que, contre de solides émoluments, il la fera renaître dans l'anatomie d'un homme... comme s'il pouvait faire jaillir un zizi d'une vulve humaine ! Mais ce chenapan, de qui on aurait aimé être la dupe par amusement, reste fidèle à la cité des Doges, ce pivot de sa géographie mentale si variable.

Qu'est-ce qui nous retient de soutenir le rythme de vie de ce touche-à-tout avide ? Pourquoi diable sommes-nous ankylosés de passé, ossifiés par nos engagements successifs, coincés dans notre pénurie d'argent ? et incapables, dans son sillage, de ne sacrifier aucune miette de joie ?

Que n'avons-nous le ressort, et la chance, de nous recommencer souvent en abolissant nos conceptions inféondes, en nous délestant de nos opinions lourdes qui, insidieusement, font de nous des vieillards avant terme ? Giacomo m'a, plus que tout autre aventurier, donné la passion de cette expression somptueuse, parfumée d'espérance : *se refaire*. Entendez *se réinventer*.

A Vienne, un jour que Giacomo souffrait d'une indigestion – d'être lui en somme –, on fait venir un médecin qui veut absolument le saigner. D'instinct, il flaire que cet acte idiot, prétendument médical, va lui coûter son dernier souffle. Il rassemble ses ultimes énergies, chasse le saigneur mais ce dernier insiste et s'apprête à le purger de force de ses *humeurs malignes*. Giacomo saisit l'un de ses pistolets sur sa table de nuit et le vise, comme pour tuer la mort. Le coup part. Le médecin en réchappera. Giacomo guérira de lui-même et notera : « Je suis allé à l'Opéra, et beaucoup de personnes voulaient me connaître. On me regardait comme un homme qui s'était défendu de la mort en lui lâchant un coup de pistolet. » Splendide riposte ! Nous devrions ferrailler davantage contre celles et ceux qui nous tuent par leur bienveillance. Soyons résolument casanovistes : demeurons à l'emporte-pièce, et lâchons, si nécessaire, quelques coups de revolver pour nous défendre de la mort !

Leçon numéro 5 : l'art de faire des heureuses

Mais revenons à l'essentiel, à l'unique boussole pour tout homme de qualité : les femmes, l'extraordinaire bonheur de faire en sorte que la vie soit un perpétuel amour.

Un jour, l'une de ses maîtresses s'exclama : « Giacomo, vous êtes fait pour faire des heureux ! » Ce compliment – sans doute l'un des plus hauts que l'on puisse décerner – me touche au cœur. Comment s'y prend-il donc pour étreindre en ne blessant pas, pour aimer énormément sans jamais rompre ? Est-il possible de se gaspiller quotidiennement, au hasard des appels intenses de sa sensualité ? Le génial Casa sait à la perfection être *un amant sans conséquences,* un cœur tendre qui élude les sentiments excessifs, ces ébranlements amoureux qui, en vérité, ont l'affreux défaut de dévaster – il les craint comme la vérole. Comme il le confesse : « C'est une chose triste à dire, mais, en amour, l'insincérité ne commence toujours qu'avec l'intervention de sentiments élevés. » Ce démon délicieux eut-il seulement une âme, comme Charles ou le très fidèle Sacha, ou ne fut-il qu'une sensualité bouillante qui exigeait son dû ? L'absence totale d'entrave éthique fut-elle le sinistre contrepoint de sa tonique légèreté ?

Un jour que je méditais l'ampleur de sa liberté, j'avais rendez-vous avec l'un de mes amis qui, comme lui, a le génie d'être sans poids dans la vie des femmes. Un amant de joie. Ce garçon a en effet le très haut mérite d'être animé par une passion monopolistique, exclusive, mobilisant toute son attention : celle d'enchanter l'autre sexe ; alors que mes contemporains n'y songent qu'en amateur, entre deux occupations. En somme, j'admire sa constance dans l'inconstance, sa fidélité à l'infidélité, le don complet de soi qu'il pratique avec dextérité. Dilettante en tout, ce mâle individu ne concentre ses exceptionnelles capacités que pour plaire. Sortant d'une nuit sans conséquences, cet avocat joueur, fort bel homme (fesses impeccables, ventre concave), me rejoignit au bar d'un hôtel où il avait d'heureuses habitudes.

« As-tu le sentiment d'abuser d'elles, comme un étalon ?

— Non, je suis le frère de Casa : je me contente de satisfaire leur désir. Je me place à la merci de leurs appétits, voilà tout. »

Tirant sur un cigare, il ajouta en soupirant : « L'initiative leur appartient. Don Juan est un imbécile, il brusque le jeu, manipule les cœurs, écorne les âmes. Le forçage casse les personnes et le désir féminin. Casa m'a appris qu'il faut toujours laisser aux femmes le soin de fixer les règles : début, fin, lieu. Son grand secret est la passivité suggestive, la mise en éveil de leur libido par la surprise et les délices du jeu. Il respecte leur besoin de liberté, alors que les hommes, plutôt lourdauds, les étouffent avec le flot de leurs pulsions qu'ils n'expriment jamais assez indirectement ! Casa a assez de cœur pour les associer à sa propre liberté. Je ne fais que suivre mon maître. »

Une blonde timide et très naturelle, sans calculs féminins, vint le cueillir. Cette Américaine au teint doux se présenta : médecin légiste, spécialiste de la datation des cadavres et gourmande d'autopsies. New York produisait assez de macchabées pour qu'elle y exerçât son art avec excitation. Les signes de putréfaction, de lividité l'enchantaient. D'une main ferme, elle entraîna mon bel ami. Son corps encore rose, souple et frais avait l'air de l'intéresser, d'éveiller sa jeune avidité.

Au sortir de notre conversation, je me suis une fois de plus replongé dans l'œuvre de Giacomo où les liaisons durables abondent. Je reste impressionné par la quantité de femmes de qualité qui lui conservèrent leur affection et échangèrent avec ce drôle des lettres pendant des décennies ; comme si Giacomo avait fait vibrer en elles une corde essentielle, méritant en cela des retours d'affection éternelle. La thèse de mon ami séducteur se vérifie : ce virtuose de la bonne humeur aime surprendre, émerveiller sans répit, mettre en scène des situations ambiguës où les femmes, enfin respectées dans leurs attentes (ce qui était assez rare à l'époque), se découvrent du trouble, du désir sommeillant. Casa est certain de rendre une fille heureuse de lui si elle est satisfaite d'elle-même ; mais ce n'est là ni une habileté ni une rouerie. Il jouit sincèrement de leur jouissance. Toujours il diffère le moment où une belle viendrait au-devant de ses appétits avant même d'avoir écouté les siens. Giacomo entend être savouré. Prendre barre sur la volonté de l'autre lui est absolument étranger. Il n'est pas un sexe qui pénètre mais un sexe mâle sur lequel l'autre sexe vient soulager son propre besoin de luxure. Il pénètre moins qu'il n'est happé. Sa main n'avance pas ; c'est le sein de la fille en liberté qui vient toujours vers sa main. Une mère de famille ne lui tend sa croupe nue que pour s'extasier d'être aussi désirable dans son regard, jamais dans un esprit lugubre de soumission. Le narcissisme féminin est à la fête avec cet homme enivré de la liberté des filles, complice de leur soif d'abandon. Giacomo l'avoue lui-même : « Je les adorais m'adorant. » Et comme il ne goûte que les joies du lit abondantes, profuses même, il ne se livre à leurs caresses que lorsqu'elles sont prêtes à se donner toutes, sans la moindre pudeur ou pudibonderie. Rien n'est plus éloigné de ce maître que l'esprit de catalogue : ce qu'il fête chez son amante, c'est sa singularité. Dès lors, aucune de ces conquérantes (et non *conquêtes*) ne lui en voudra jamais. Toutes (ou presque) lui voueront des sentiments durables. La sublime Henriette ne le quittera que de corps, jamais en esprit, et lui demeurera acquise tout au long de son existence, n'hésitant pas à lui proposer maintes fois des secours d'argent. Il n'est guère de rupture avec une insistante qui aurait aimé voir en lui un époux où il ne lui cherche pas un mari de qualité, un emploi sécurisant, une situation apaisante. Giacomo ne vole pas, il donne à cœur ouvert.

On comprendra donc – si on veut bien ne pas voir le couple comme un pur «objet d'oppression sociale» – qu'on puisse être fidèle à sa moitié, épris d'exclusivité donc, et se réclamer de lui. Je prétends que l'on peut être le casanoviste d'une seule, avec amusement, gaieté et tendresse. En amour, la fixité peut avoir la grâce d'être mobile. Comment? En se plaçant moins en avancée qu'en creux, en reculant le plus souvent possible pour être étreint, en quittant parfois le lit pour être convoité. Le couple revu par Casa doit être le lieu du jeu constant, de l'hypersensualité, de la fête amoureuse, du voyage et de la surprise détonante. Son extraordinaire manière d'être, faite de retrait offensif, est une façon d'aimer avec légèreté et imprévu qui s'applique aussi bien à une épouse qu'à des amantes nombreuses. Satisfaire une femme en la rendant contente d'elle-même, quel plus beau programme ? Prendre le temps de l'aider à discerner ses propres rêves sexuels, même les plus délurés, quelle plus haute ambition ? Ce Vénitien n'est pas le maître des queutards mais bien celui des maris dignes de ce titre.

Et puis, cet adepte de la stratégie *en creux* n'est pas sans me faire penser à Charles qui, lui aussi, eut le talent de se placer souvent en réserve pour être mieux convoité. Le 18 juin 1940, il ne force pas le destin en tentant un *pronunciamiento* au Maroc ou ailleurs dans l'Empire – ce qui l'eût désigné comme adversaire de Pétain et non d'Hitler et l'eût illico fait passer pour une sorte de Franco tricolore. Finement, ce joueur va se placer dans l'un des seuls endroits encore libres où ne stationnent aucune force française : à Londres. En creux, il peut ainsi commencer à attirer à lui. A l'intérieur de l'Empire, à cette date, il aurait perdu sur toute la ligne. Pour réclamer tout le pouvoir légitime et dire avec aisance « Je suis la France » il fallait n'avoir rien et s'être d'abord replié hors du territoire. En 1945, lorsqu'il abandonne ses fonctions officielles sans y être contraint, il fait de même : Charles se retire... pour que la nation vienne à lui ; ce qui finira par fonctionner en 1958. En mai 1968, plutôt que de réprimer, il suivra la même ligne incurvée. Après avoir laissé le désordre se discréditer lui-même, le vieux stratège se repliera en Allemagne, créant ainsi une sensation de vide que le peuple aura soudain besoin de remplir par un retour en force du parti de l'ordre. Pour exercer une forte attraction, il faut avoir l'instinct du retrait.

Au fond, Charles a gouverné comme Giacomo a baisé, en joueur d'autant plus efficace que le besoin d'être convoité est primordial chez ces deux zèbres. Quand ils font un pas en arrière pour être rattrapés, étreints, espérés, ils ne trichent pas ! Le désir – d'une nation ou des femmes – leur est vital.

Leçon numéro 6 : l'art d'éblouir sa mère

Toute ma vie j'ai eu besoin, pour rejoindre ma mère inaccessible, idéalisée, de connaître une vie d'exception, teintée d'idéal. Mû par le rêve d'y parvenir, j'ai systématiquement tenté de me placer au-delà ou au-dessus des lois des hommes, par-delà ce qui borne la vie ordinaire. Si je n'enjambais pas les frontières du raisonnable, si je pratiquais l'art de la défausse devant les projets chimériques, je n'existais plus dans le regard de ma mère ; du moins dans l'opinion que je me faisais d'elle. Seule mon exceptionnalité éventuelle (deviendrai-je jamais lucide ?) pouvait me donner le droit d'accéder à son cœur. Je me suis donc toujours imaginé sous sa protection magique, comme enveloppé par sa toute-puissance maternelle que je confondais avec la Providence, un destin souriant qui m'est si souvent favorable.

Comme Sacha, j'ai un père idéalisé.

Comme Giacomo, j'ai une mère irréelle.

Dans mon cerveau, la mienne est – comme la sienne – l'image idéalisée de l'amour, une version achevée de l'héroïsme sentimental. Une image que nous devons, Giacomo et moi, sauver de toute rancune, de la moindre critique, en ne leur gardant aucun ressentiment – bien que l'une et l'autre aient été finalement assez absentes dans notre enfance, occupées qu'elles furent alors par leur vie de femmes très occupées, ne donnant en vérité à leur progéniture, souvent confiée, que peu de soins maternels suivis. Bien que nous aimant fort, elles galopaient. Ces similitudes psychiques m'ont sauté aux yeux lorsque je lus avec ardeur, un soir de chance, l'ouvrage si remarquable de la psychanalyste Lydia Flem, *Casanova ou l'exercice du bonheur.* Dans un chapitre consacré à la mère de Casa, elle explique de manière convaincante que sa chère maman, éblouissante, également inaccessible, féerique et finalement très déficiente, fut longtemps idéalisée par le petit Giacomo, prisonnier d'une admiration sans réserve. Pour échapper à la souffrance du manque et éviter tout conflit sévère avec elle, il ne put nourrir aucun grief (même légitime) à son endroit et se protégea de la séparation en effaçant, par la suite, toute trace d'affrontement avec les femmes. A toute force, il lui fallut – comme moi – préserver l'illusion de sa protection, comme si elle était sa bonne fortune, la destinée agissant avec les pouvoirs illimités d'une fée.

Leçon numéro 7 : être plus fort que la mort

30 juillet 1980. On m'apprend la mort corporelle de mon père. J'ai quinze ans. Soudain, la vie devient trop réelle pour que j'y consente. Impossible de me disjoindre de lui. J'ignore encore que ce papa magique, follement aimé – cet amour me fut à peine prêté –, sera bientôt complété par les pères bondissants que je vais rencontrer dans les biographies qui me tomberont sous la main. Lui alluma mes rêves, eux leur ont donné des jambes, des visages et ce qu'il faut de savoir-être.

Sacha se défendit de la mort de son *adorable papa* en le ressuscitant au cinéma. Je fis presque de même en redonnant vie au Zubial dans certains de mes livres, en empruntant gaillardement son métier de magicien et en perpétuant son nom sur des couvertures de livres publiés à Paris.

Giacomo, lui, lutta contre son grand âge en lui déniant le dernier mot. Nul ne s'évade de la vieillesse, sauf l'indomptable Casa. Sa technique de vie, si brûlante d'épicurisme actif, va-t-elle brusquement dysfonctionner au moment où son corps se vide de ses urgences ? Comment jouir encore lorsque le sexe fait fiasco ?

En écrivant sa vie sans aucune zone d'ombre, en s'offrant le bonheur de la revisiter.

Après avoir tout osé, Aventuros entend vivre double. « Je renouvelle le plaisir en me souvenant », note-t-il, résolu à défier par écrit sa déchéance de vieillard et, au-delà, la mort elle-même qui, dès que son texte sera achevé, ne pourra plus éteindre sa joie d'être né. Pour comble de luxure, Giacomo s'offrira même le plaisir, en cet été 1789 où il démarre la rédaction de ses aventures, d'écrire cette confession dans la langue de la liberté : celle de Danton, de Mirabeau et de Camille Desmoulins. Que l'on songe à l'audace de ce furieux ! Pour écrire sur la liberté elle-même, il pousse le jeu jusqu'à s'affranchir de sa langue d'origine. Aventuros n'hésite pas à se délier de son italien maternel.

Recueilli à Dux, non loin de Prague, par le comte de Waldstein qui l'emploie à présent comme bibliothécaire, cerné par la langue allemande qui restreint la vivacité de son humour, il y est presque persécuté par une domesticité rustique. Ces gens d'humeur tracassière ignorent quel gentilhomme de la liberté ce vieillard grognon eut le talent d'être, à quelles tables de monarques il fut admis et de quelles femmes il eut l'honneur d'être aimé. Alors qu'à présent, comble de l'humiliation, il lui faut payer pour obtenir sa part de volupté. Sédentarisé malgré lui, l'homme qui n'a été que fuite devient mémoire et jeunesse reconquise. Son livre est un hymne à sa gaieté d'avoir été un corps en liberté, une déclaration de guerre à la vieillesse qui l'enferme. La plume à la main, Giacomo s'échappe de cette dernière prison, plus implacable encore que celle des Plombs. Seul, il reconvoque l'amour, s'en éblouit et échappe magistralement à son destin organique de vieux bonhomme.

Tout son texte givré – sans doute le plus amusant des romans – indique que son bonheur à revivre son existence fut plus grand encore que son parcours réel ; ce qui n'est pas peu dire. Devenu le tiers de lui-même, le quart de sa séduction et sans doute le dixième de son adresse érotique, il atteint l'extase suprême par l'écriture dans la dernière ligne droite. Chez Casanova, la deuxième fois vaut mieux que la première. Cette bousculade d'événements impromptus, d'initiatives burlesques et de malhonnêteté flambarde a tout du chef-d'œuvre : un concentré d'insouciance parfaite. Tout procède de ce mot bénéfique.

Avec lui, lire et jouir sont bien synonymes.

ÉPILOGUE

Tout commence

J'ai longtemps fait un rêve récurrent, étrange et gai où je soupe dans l'ancienne maison des Jardin en Suisse avec Charles, Giacomo et Sacha, mes trois pères. Au grand dam de mon véritable papa, Pascal Jardin, exaspéré que ces trois figures tutélaires m'aient, après sa disparition, à ce point déséduqué. Lui sait à quel point j'ai aimé les aimer – ce qui est mieux que d'aimer. Dans ce très curieux dîner lémanique, Sacha est déguisé en Charles (imitation parfaite), Giacomo en Guitry et de Gaulle en Casanova (poudré, avec une mouche). Leurs trois physionomies s'embrouillent. Quant à moi, je leur ressemble par fragments : je possède les narines très présentes de Giacomo, les yeux presque absents de Charles et le sourire un brin inquiétant du massif Sacha. Parfois, leurs traits se mélangent sur mon visage zubialesque en de surprenantes combinatoires.

Dans ce rêve confus, je suis leur très improbable fils commun.

Ils m'ont tant chamboulé, fécondé, réinventé !

Orphelin de père, j'ai eu longtemps besoin d'eux et des autres zèbres que je rencontrais en me goinfrant de biographies. Professeurs de soi, ces hypnotiseurs m'ont tenu la main au quotidien et aidé à me composer une âme. Pas un jour sans que je me sois demandé comment ils auraient agi sans mesure et pensé à ma place. A présent que je suis plus âgé que mon père Pascal, disparu jeune en 1980, à quelle façon d'exister vais-je me conformer ? Qui en moi l'emportera : Charles, Sacha ou Giacomo ? Impossible d'être éternellement divisé. Vient l'heure où leurs contradictions inconciliables, après m'avoir tant vivifié, m'entravent. L'exercice du bonheur, celui du pouvoir et celui de la théâtralité merveilleuse sont-ils compatibles ?

A quarante-huit ans, mon logiciel de vie ne marche plus.

Pour me hisser vers moi, je vais devoir trancher, m'unifier.

L'un se penche toujours vers mon oreille pour me souffler *Joue !* L'autre me murmure *Jouis...* Le dernier, évidemment plus malin, me lance *Deviens Alexandre, pour de vrai.*

J'ai tant besoin qu'ils règnent encore sur mes volontés, de les épater mais aussi que mes chers enfants aient enfin l'exemple d'un père qui n'aura pas toujours louvoyé.

Et puis un jour, j'ai fait un rêve encore plus bizarre où j'allais rendre visite à Pascal dans le petit salon parisien de Jean Jardin, à l'hôtel La Pérouse. Nous avions tous deux le même âge, quarante-six ans. Giacomo et Sacha étaient absents mais on entendait la voix de Charles qui passait dans le couloir. Mon père me relut la lettre que je lui avais envoyée à quinze ans, où je lui promettais avec une candeur résolue qu'un jour je relancerais la France, que je l'arracherais à sa panade. En songe, papa me fit bien sentir que l'heure était venue non pas de passer directement à l'acte – l'Histoire ne se bouscule pas tout à fait au gré de son tempo intime – mais de prendre position : en définitive, qu'allais-je faire de ma promesse de jeune homme ? Voulais-je m'en délier à jamais ? y donner suite à pleins poumons ? réussir prioritairement mes ambitions de mari ? Dans le couloir de l'hôtel, Charles s'énervait. Ses éclats d'agacement nous parvenaient. L'ascenseur n'arrivait pas assez vite à son goût. Mon père me pressa de répondre car lui, mort à mi-parcours, n'eut jamais la possibilité de devenir pleinement ce que ses qualités promettaient ; puis, sans fard, il précisa son attente : « De quelle idée de toi-même seras-tu le fils ? »

Cette question insolite, jaillie du tréfonds de mon cerveau ensommeillée, me bouleversa si vivement que je me réveillai en nage aux côtés de ma femme. Elle conservait les yeux clos. Il devait être trois heures du matin.

Les enfants dormaient. Le Zubial ne m'avait pas demandé d'être son fils, celui de Giacomo, de Sacha ou encore celui de Charles. Il m'avait sommé de répondre à une question plus pressante encore : *De quelle idée de moi-même serai-je le fils ?* Interrogation que j'avais toujours éludée en me cachant derrière mes trois zèbres. Une heure plus tard, je me rendormis, m'efforçant de regagner mon rêve troublant, le petit salon du La Pérouse où je parvins à rejoindre mon jeune père en songe. Il m'attendait en feuilletant la lettre de mes quinze ans : « Donne-moi cette lettre... », lui ai-je demandé.

Papa me tendit les feuillets arrachés à un cahier de collégien sur lesquels dansait toujours, intacte, mon écriture d'adolescent. Je les retournai et écrivis d'une coulée au dos des lignes restées, pour l'essentiel, presque fixes dans ma mémoire, au point que je peux sans grande peine reconstituer leur feu :

Papa,

Je n'ai plus peur de vivre exagérément. Plus peur d'être givré. Plus peur des hémorragies de vérité. Plus peur de manquer d'argent pour mes enfants. Plus peur non pas de mon impuissance mais de ma puissance. Plus peur que mon souffle devienne vent forçant aux effets inattendus. Plus peur de passer outre à la pusillanimité de nos élites si sérieuses. Plus peur de coller à moi-même, quel qu'en soit le coût. Plus peur d'être ma propre boussole, de revendiquer joyeusement pour ce pays une part de merveilleux charlien. Plus peur de succéder à Charles s'il le faut, et non aux champions de la défausse qui nous ont flanqués dans la mouise. Plus peur de servir un leader s'il s'en trouve un plus créatif, hypnotique et tendu de volonté que moi (ça ne sera pas difficile!) pour relancer la France en étant dupe de ses rêves. Plus peur de m'effacer devant l'exceptionnalité d'un autre. Plus peur que mon bonheur soit dans l'acceptation d'un devoir charlesque et non dans l'esquive. Plus peur d'être un ferment de discorde, un objet de projections fielleuses, tant je me méfie des consensus, cette marmelade que personne ne rejette mais dont personne n'est gourmand. Plus peur d'affronter avec pugnacité les révulsions d'une nation à réformer de fond en comble. Plus peur de refuser tripalement l'ordre établi, de ne plus collaborer à notre déchéance. Plus peur de faire débouler la fraîcheur du monde dans notre huis-clos national saturé de vieilles manies. Que viennent les chambardements désirés! Plus peur de rencontrer un jour Dieu, ce creux en moi. Plus peur d'indexer ma liberté sur celle de mes zèbres favoris. Plus peur d'être quitté par ma femme qui m'éblouit comme jamais et, je le sais, pour l'éternité. Plus peur d'avouer que je plagie copieusement (transparence oblige!) les ivrognes de café, les dialoguistes morts, au bord de l'être ou vivants, les rabbins poilants, les auteurs au style en érection, mon éditeur, les plagistes surcultivés, les charlophiles de cœur, les casanovistes invétérés, les stakhanovistes de l'insulte, les mystiques extatiques, les psychanalystes pervers, Jean-Luc Godard (une mine), Jacques Lacan (énorme réservoir à surprises verbales), Jean-Jacques Rousseau bien sûr (volez-lui ses structures de phrase et vous aurez de la grâce !), les journalistes verveux que je vénère, bref tous ceux qui ont l'honneur d'exulter (dois-je te rappeler, papa, qu'en dialoguant l'impérissable série des *Angélique, marquise des Anges,* tu empruntas des tirades entières des Mémoires de Charles pour les replacer dans la bouche de Michèle Mercier ?). Ma langue, comme toi, mon jeune papa, je la vole à mon peuple. Qu'on me crucifie dans les arènes de la réputation ! Plus peur de mes angles morts divers. Plus peur de « prendre cher » pour mes engagements à venir : que l'on me dézingue à tout-va, je m'en moque bien ! Mon moi est désormais dissous, mon ego congédié. Plus peur des conflits de très haute intensité. Plus peur de la prison si elle sanctionne la générosité, le patriotisme – cette naïveté que j'aime. Plus peur qu'on voie en moi un imposteur, un illuminé trop confiant, un idéaliste saisi par le haut délire. Plus peur de l'impopularité abyssale qui, certaines fois, est une fierté. Plus peur de la docte parole des sachants (noblesse d'Etat dépensière, etc.) qui, sans culpabilité, ont jeté dans le chômage durable les classes fragiles. Plus peur de délivrer, un jour, mon Etat de ses impuissances en donnant du pouvoir à la société civile. Plus peur d'oser quoi que ce soit de funambulesque. Plus peur d'encombrer mes propres enfants qui sont, je le sais, de purs courages et, chacun à leur façon, une chance pour notre nation. Plus peur des indignations rances de la partie de ma famille restée fidèle à Vichy. Plus peur d'être immensément heureux, de dérouiller lors de mes crises de coliques néphrétiques, de chanter (faux). Plus peur de ce que les fous me font sentir de moi. Plus peur de la dinguerie sans limite des autres, de l'ahurissant besoin de déni de notre espèce, toujours occupée à ruser avec les faits. Plus peur des idées casse-gueule. Plus peur de l'amplitude croissante de ma joie de vivre. Plus peur de parler à ma mère si improbable que je révère. Plus peur au sens où Picasso cessa un jour d'avoir la trouille de peindre, de sculpter, d'empoigner la création en se renouvelant à chaque femme. Plus peur dans le sens qui permit à Charles de lâcher un jour la rampe de l'obéissance pour s'établir à Londres, sans un radis et sans autre soutien que sa folle volonté. Plus peur de mes ridicules revendiqués, de mes excès condamnables. Plus peur qu'on me mette le nez dans mes contradictions navrantes. Plus peur en somme de décevoir mes trois pères de complément qui, pendant des années, m'ont fait si peur : Giacomo, Sacha et Charles.

Je ne serai plus jamais le fils de la peur.
J'ai confiance.
Je t'aime tant, papa.

Ton fils

Au réveil, j'étais la joie, la légèreté du vent, la liberté qui ne mégote plus : furieusement français, à mon tour. De ces trois enchanteurs qui m'ont enfanté, je conserverai le bonheur de jouer avec la Providence, de la défier avec intempérance et d'en jouir hors cadre.

Tout commence.

BIBLIOGRAPHIE RÉJOUISSANTE

que tout charlophile, sachatisé et casanoviste devrait posséder chez soi
(petite liste des meilleurs ouvrages qui ont inspiré ce livre… et chamboulé ma vie !)

Histoire de ma vie, du très regretté Giacomo Casanova (Robert Laffont, collection Bouquins).

Casanova l'admirable, par l'indispensable Philippe Sollers (Folio).

Casanova, l'homme qui aimait vraiment les femmes, de la très éclairante Lydia Flem (Points Seuil). Ma dette personnelle est immense.

Casanova ou l'anti-Don Juan, de Félicien Marceau, très en forme (Gallimard).

Trois poètes de leur vie, de Stefan Zweig fort jaloux de ses personnages (Belfond).

Le Bal masqué de Giacomo Casanova, de l'excellentissime François Roustang (Petite Bibliothèque Payot).

Le Fil de l'épée et autres écrits de Charles (Plon).

Mémoires de guerre de Charles (Pocket), lecture vitale qui rend français.

De Gaulle en trois volumes de l'indépassable Jean Lacouture (Points Seuil) ; aussi nécessaire que l'oxygène que nous respirons.

Le *De Gaulle* si juste de François Mauriac (Grasset, collection Les Cahiers rouges). Grâce lui soit enfin rendue !

Ode à l'homme qui fut la France de Romain Gary (Folio) ; aucun livre ne rend plus heureux d'être français. Mes enfants le connaissent par cœur.

Mauriac sous de Gaulle, de Jacques Laurent (La Table Ronde) ; ouvrage consternant et magnifiquement écrit qui me révulse.

Sacha Guitry, du génial Noël Simsolo à qui je dois une part de ma folle admiration pour le cinéma de Sacha (Cahiers du Cinéma, collection « Auteurs »). Ce saint critique a bien mérité du cinématographe tricolore.

L'indispensable *Sacha Guitry intime. Souvenirs de sa secrétaire Fernande Choisel* (Scorpion). Ne pas le lire en ces temps moroses devrait être puni par la loi.

A la rencontre de Sacha Guitry, par l'un de ses plus remarquables admirateurs, Jean-Laurent Cochet (Oxus).

On peut lire avec profit les Mémoires de la plupart de ses femmes. Le *Faut-il épouser Sacha Guitry ?* de Jacqueline Delubac m'a enchanté (Julliard).

Sacha Guitry, itinéraire d'un joueur, de Dominique Desanti (Arléa, entretien avec Karin Müller), m'a conquis.

Naturellement, j'aurais pu rallonger à l'infini la liste des ouvrages consacrés à mes trois zèbres. Cette courte liste réunit ceux qui ont pour vertu première de sachatiser, de charliser et de giacomotiser à coup sûr les imprudents qui auront l'intelligence de les lire.

Mise en pages PCA
44400 Rezé

CET OUVRAGE
A ÉTÉ ACHEVÉ D'IMPRIMER
SUR ROTO-PAGE
PAR L'IMPRIMERIE FLOCH
À MAYENNE EN AOÛT 2013

Grasset s'engage pour
l'environnement en réduisant
l'empreinte carbone de ses livres.
Celle de cet exemplaire est de :
700 g éq. CO_2
Rendez-vous sur
www.grasset-durable.fr

Dépôt légal : septembre 2013
N° d'édition : 17938 – N° d'impression : 85307
Imprimé en France